Starr Ackley

LE THÉÂTRE COMIQUE AU MOYEN ÂGE

Édition de Pierre Levet, vers l'an 1489. Phot. Larousse.

Pathelin, Thibaut l'Agnelet et Guillaume le Drapier devant le juge.

LA FARCE DE MAISTRE PIERRE PATHELIN

CLASSIQUES LAROUSSE

Fondés par
FÉLIX GUIRAND
Agrégé des Lettres

Dirigés par
LÉON LEJEALLE
Agrégé des Lettres

LE THÉÂTRE COMIQUE AU MOYEN ÂGE

textes et traductions
avec une Notice historique et littéraire,
des Notes explicatives, des Jugements,
des Questionnaires et des Sujets de devoirs,

par

JEAN FRAPPIER
Professeur agrégé au Lycée Buffon

et

A.-M. GOSSART
Professeur agrégé au Lycée Janson-de-Sailly

LIBRAIRIE LAROUSSE • PARIS VI
17, rue du Montparnasse, et boulevard Raspail, 114
Succursale : 58, rue des Écoles (Sorbonne)

RÉSUMÉ CHRONOLOGIQUE DU THÉATRE COMIQUE AU MOYEN AGE

DEUXIÈME MOITIÉ DU XIIe SIÈCLE. — Floraison de la comédie scolaire.

XIIIe SIÈCLE. — Les scènes de taverne du *Jeu de saint Nicolas* de Jean Bodel d'Arras mort en 1210 (fin du XIIe ou début du XIIIe siècle).

Courtois d'Arras (fin du XIIe siècle ou premières années du XIIIe).

Le Dit de l'Herberie, de Rutebeuf, vers 1260.

Le Jeu de la Feuillée d'Adam le Bossu, dit de Le Hale (de La Halle), d'Arras : 1276 ou 1277.

Le Jeu de Robin et Marion, du même; vers 1285.

Le Jeu du Pèlerin, joué à Arras, à l'occasion de la reprise de la pièce précédente : 1288.

Le Garçon et l'Aveugle, joué à Tournai entre 1266 et 1282.

XIVe SIÈCLE (deuxième moitié). — *La Farce de maître Trubert et d'Antrongnart*, d'Eustache Deschamps.

Le Dit des quatre offices de l'ostel du roy, du même.

Miracles de Notre-Dame.

XVe SIÈCLE. — *Bien Avisé et Mal Avisé* (moralité), 1439.

La Farce de maistre Pierre Pathelin, entre 1464 et 1469.

Le Franc Archer de Bagnolet (monologue dramatique) entre 1468 et 1473.

Moralité de Henri Baude, 1486.

L'Homme pécheur (moralité), 1494.

La Farce du cuvier } fin du XVe siècle.
La Farce nouvelle du pâté et de la tarte }

XVIe SIÈCLE. — *La Condamnation de Banquet* (moralité) de Nicolas de La Chesnaye, vers 1500.

Le Jeu du prince des sots (sotie), de Pierre Gringore, 1512.

LE THÉATRE COMIQUE
AU MOYEN AGE

INTRODUCTION

Origines. — Ce n'est pas avant le XIIIe siècle, à en juger par les documents conservés, que s'est constitué le théâtre comique français en tant que genre indépendant; ses origines n'en demeurent pas moins incertaines. Est-il sorti de la liturgie et des cérémonies rituelles tout comme le théâtre religieux? On est d'autant plus tenté de le croire que la comédie satirique des Grecs dérive aussi bien que leur tragédie du culte de Dionysos[1]; mais ce rapprochement tout littéraire n'a pas beaucoup plus de valeur qu'un raisonnement par analogie. Plus probante semble la présence d'éléments comiques dans une œuvre comme *le Jeu de saint Nicolas*, du trouvère artésien Jean Bodel : des scènes amusantes et presque triviales de taverne contrastent curieusement avec l'inspiration héroïque et quasi mystique du sujet. Mais cette coexistence du sublime et du comique dans la même œuvre n'exprime-t-elle pas tout simplement le tempérament personnel de l'auteur? il est vrai aussi qu'elle est conforme au goût du moyen âge tout entier, qui n'a pas établi de distinction rigoureuse ni de hiérarchie entre les genres, et que les scènes familières, bouffonnes même, ne manquent pas dans les *mystères*. Mais cette juxtaposition se constate à une époque où le théâtre religieux est entièrement dégagé de la liturgie, et franchement elle ne saurait rien nous apprendre sur les origines du théâtre profane. *Le Jeu d'Adam*, drame semi-liturgique, prouverait au contraire qu'à son début le théâtre religieux reste empreint d'une gravité pathétique et n'admet guère l'intrusion d'éléments comiques; ceux-ci se sont glissés furtivement ou ingénument de la place publique dans l'église, et leur importance a grandi à mesure que le drame est sorti de l'église pour s'installer sur le parvis, puis sur la place où il a évolué plus librement. C'est l'esprit laïque, celui du peuple des rues, qui peut-être par l'intermédiaire des *clercs* vivant dans le *siècle*, et non dans le cloître, a introduit un

1. Telle est du moins l'opinion couramment admise; mais en réalité les origines de la comédie ancienne sont complexes. « Elle est en effet un composé, une combinaison à doses inégales du *cômos* attique, de la farce péloponnésienne, de la comédie sicilienne et de la tragédie. A chacun de ces genres antérieurs, elle doit quelques-unes de ses formes. » (O. Navarre, *le Théâtre grec*, p. 148.) D'autre part, dans quelle mesure est-il permis de comparer les cérémonies liturgiques de l'Église au *cômos* des Dionysies rurales, promenade de paysans ivres échangeant des quolibets avec la foule?

élément persistant de comédie dans le drame religieux; on ne voit point en revanche comment la farce aurait pris son essor de l'église vers la place publique en s'appuyant sur le drame liturgique et le drame semi-liturgique comme sur deux béquilles. Fera-t-on appel pour soutenir la thèse contraire aux traits, non point grotesques, mais familiers ou plaisants ou simplement naïfs contenus dans l'*Office paschal de la Résurrection*, dans le drame liturgique de Noël? Mais ce serait à notre avis renverser l'ordre des faits : ce n'est pas le rite qui a développé le goût de la scène plaisante, c'est le goût de la scène plaisante qui s'est infiltré dans le rite. Le peuple a ri sur la place avant de sourire dans l'église ou sur le parvis; il n'avait certes pas besoin de la religion et des cérémonies liturgiques pour donner libre cours à ses ressources spontanées de joie.

Mais de quoi riait le peuple sur la place publique? Nous ne le savons pas exactement, car les textes font presque entièrement défaut avant le XIIIe siècle; cette pénurie de documents explique assez les tâtonnements de la critique. On ne peut nier toutefois l'existence d'une littérature orale exploitée par les jongleurs qui semblent bien avoir prolongé au moyen âge la tradition des mimes errants de l'antiquité; la récitation des chansons de geste et des fabliaux supposait déjà de la part des jongleurs un minimum de gesticulation et de débit dramatique; mais leur répertoire comprenait aussi des pièces d'un caractère plus nettement théâtral : chansons de danse, débats, jeux-partis et surtout des monologues dramatiques et des mimes dialogués. Ils contrefaisaient pour faire rire le public certains types : le fou, le sot, l'ivrogne; ainsi ils ont été les héritiers lointains et inconscients de la comédie populaire latine, qu'ils ont pu ranimer par leur verve naturelle.

Quant à la comédie classique des Latins, celle de Plaute et de Térence, elle est connue, pratiquée, imitée même à la fin du XIIe siècle dans les écoles, notamment celles d'Orléans et de Fleury-sur-Loire : ces pièces, au nombre de quinze — citons parmi elles le *Geta* et l'*Aululaire* de Vital de Blois, l'*Alda* de Guillaume de Blois, le *Milo* de Mathieu de Vendôme, le *Miles gloriosus* anonyme — ont été réunies en un *corpus* et publiées[1] sous ce titre : *la Comédie latine en France au XIIe siècle*. On a parfois contesté qu'il s'agît là de pièces véritables, en raison de la longueur des monologues et des récits, mais le caractère dramatique du plus grand nombre de ces compositions n'est pas douteux, et elles ont dû être jouées par des clercs à l'occasion de certaines fêtes : non seulement elles ressuscitent les types de la comédie latine, mais elles reflètent les mœurs du temps où elles ont été écrites, surtout dans la peinture des femmes et des jeunes filles; et le rôle du valet, tout en prolongeant la tradition antique, annonce la comédie moderne et les ruses cyniques de Scapin. Quelle a été l'influence exacte de ce

1. Sous la direction de M. Gustave Cohen, en deux volumes, aux éditions Guillaume Budé.

théâtre scolaire sur la formation de la farce et de la comédie écrites en langue vulgaire ? Dans l'état actuel des connaissances, il n'est pas facile d'établir une filiation : mais on a constaté des ressemblances non trompeuses — traits, situations, caractères — entre les deux théâtres. Rien d'étonnant à cela, puisque les auteurs des farces et jeux comiques étaient certainement pour la plupart des clercs issus des écoles. On ne saurait donc attacher trop d'importance à cette renaissance de la comédie latine dans la deuxième moitié du XIIe siècle · elle éclaire sans doute mieux les origines de notre théâtre comique que ne le ferait une prétendue et mystérieuse évolution du drame liturgique en farce. Cependant la formation du théâtre religieux a pu contribuer indirectement à celle du théâtre comique : l'exemple d'œuvres comme *le Jeu d'Adam* a sans doute incité des clercs à élever à leur tour jusqu'à la dignité d'un genre littéraire ce qui n'était guère que boniments de bateleurs et parades foraines.

Le XIIIe siècle. — Avec le XIIIe siècle nous sortons heureusement du domaine des hypothèses; nous pouvons enfin nous appuyer sur des textes. Ils ne pullulent pas du reste, mais leur matière est assez variée. Citons d'abord, en raison de leur importance secondaire, le *Dit de l'Herberie*, de Rutebeuf, boniment d'un marchand d'herbes médicinales, amusant par sa verve charlatanesque, la pièce des *Deux Bourdeurs ribauds* où deux jongleurs rivaux se querellent de façon burlesque, *le Privilège aux Bretons*, et *la Paix aux Anglais*, satires politiques. *Courtois d'Arras* mérite davantage le nom de comédie, sans qu'on puisse assurer que cette pièce ait été jouée par plusieurs acteurs : c'est une plaisante adaptation au dialogue et à la scène de la parabole de *l'Enfant prodigue*, et elle contient de réjouissantes scènes de taverne tout comme *le Jeu de saint Nicolas*, de Jean Bodel, représenté à Arras vers 1200. C'est en effet à Arras, dans le domaine picard, que se manifeste avec le plus d'éclat au XIIIe siècle l'activité théâtrale : cette localisation s'explique par la prospérité industrielle et commerciale de la ville, la formation d'une classe bourgeoise riche et cultivée, un goût fort vif de la satire et de la verve joyeuse, parfois même grossière. Le meilleur auteur comique du XIIIe siècle, Adam de La Halle, est lui aussi d'Arras. Ses deux œuvres, *le Jeu de la Feuillée* et *le Jeu de Robin et Marion*, sont tout à fait originales : *le Jeu de la Feuillée*, joué à Arras en 1276 ou 1277, est une pièce étrange, une sorte de revue satirique, bouffonne, réaliste, mais poétisée aussi par le rêve et la fantaisie. Le titre qu'elle porte indique qu'elle faisait partie de ces divertissements qui se donnaient au mois de mai sur des estrades en plein air encadrées de feuillage. Le poète s'est mis en scène lui-même et il jouait certainement son propre rôle : on le voit décidé à quitter Arras et la femme qu'il a épousée quelques années plus tôt pour aller à Paris reprendre ses études.

Son père, qui se fait prier pour lui donner l'argent nécessaire au voyage, ses voisins qui figurent dans le jeu et de nombreux bourgeois de la ville sont criblés de railleries satiriques. Paraissent ensuite un physicien ou médecin qui diagnostique le mal dont chacun est atteint, un moine exhibant des reliques qui guérissent de la folie, un fou authentique accompagné de son père. Le tout se conclut par une longue scène de taverne qui rappelle celle du *Jeu de saint Nicolas*, de Jean Bodel. Le moine, à la fin, est victime d'une joyeuse escroquerie. Au milieu de ce tableau aux couleurs vives, s'offre à l'improviste une scène fantastique : les trois fées, Morgue, Magloire et Arsile — les trois fées qui, dans les croyances populaires, présidaient aux destinées des hommes — arrivent pour goûter aux mets qu'on a préparés en leur honneur; elles montrent même la roue de Fortune qui symbolise les caprices du sort. Sans être une œuvre puissante, ni même solidement construite, *le Jeu de la Feuillée* plaît par le mélange heureux du réalisme et de l'imagination, la verve vivante des personnages, le contraste entre le brouhaha des buveurs à la taverne et l'apparition mystérieuse des fées. Malheureusement il n'est pas toujours facile de saisir la portée des traits satiriques et des allusions personnelles qui pullulent dans cet ouvrage de circonstance.

L'autre pièce, *le Jeu de Robin et Marion*, qu'on peut regarder comme le plus lointain «opéra-comique» connu, est d'un genre tout différent. Elle a sans doute été écrite comme divertissement de cour, vers 1285, à Naples, où Adam avait accompagné le comte d'Artois auprès de Charles d'Anjou. C'est une *bergerie* parlée et chantée, l'essai de séduction d'une bergère par un chevalier, la peinture idéalisée de la vie des bergers et de leurs jeux, le tout relié et poétisé par l'amour innocent, simple et fidèle de Robin et de Marion. A la fin, une farandole conduite par Robin entraîne tous les personnages.

Adam de La Halle mourut au royaume de Naples sans revoir sa bonne ville d'Arras : *le Jeu du Pèlerin*, donné en manière de prologue lors de la reprise du *Jeu de Robin et Marion* à Arras en 1288, fait allusion à cet événement et célèbre la mémoire de maître Adam, « le clerc d'onneur », possesseur de toutes les vertus, excellent poète et parfait musicien.

Pour achever le tableau de la littérature comique dans le Nord au XIIIe siècle, citons la plus ancienne farce connue qui appartenait certainement au répertoire d'un jongleur errant : *le Garçon et l'Aveugle*, jouée sans doute à Tournai entre 1266 et 1282. Malgré des traits grossiers et un sujet qui peut nous paraître cruel (il s'agit des méchants tours joués à un aveugle, plutôt ignoble du reste, par un jeune valet qui s'est offert à le guider), cette farce est assez plaisante. Elle est précieuse aussi pour l'histoire du théâtre, car elle emploie un procédé, la feinte du changement de voix[1],

1. Le « garçon », contrefaisant la voix d'un bourgeois, menace et roue l'aveugle de coups.

qui semble bien venir de la comédie latine scolaire du *Babio*, écrite un siècle plus tôt.

Le théâtre comique du XIIIe siècle est remarquable en somme par la variété des genres traités : apologue dramatisé *(Courtois d'Arras)*, sotie (*Jeu de la Feuillée*, du moins dans la mesure où cette pièce est satirique, mais on peut aussi bien la considérer comme inclassable), pastourelle dramatique *(Jeu de Robin et Marion)*, farce *(le Garçon et l'Aveugle)*, monologue dramatique (*Dit de l'Herberie*, de Rutebeuf); cependant la comédie de caractères et de mœurs reste encore à créer.

Le XIVe siècle. — Le XIVe siècle ne s'engage pas dans les voies ouvertes par le XIIIe siècle : les représentations plaisantes ou grotesques ont sans doute continué à être courues par les badauds, mais les textes sont très rares, car on n'attachait pas une grande importance à ces bouffonneries de foire et on ne se mettait pas en peine de les transcrire. N'oublions pas cependant que beaucoup de documents ont pu se perdre, et que des découvertes nouvelles peuvent enrichir nos connaissances et modifier nos jugements. En tout cas il est impossible de citer un auteur du talent d'Adam de La Halle; les deux ouvrages d'Eustache Deschamps, *la Farce de maître Trubert et d'Antrongnart* où figure un avocat fanfaron et malhonnête, et le *Dit des quatre offices de l'ostel du roy* où Panneterie, Echansonnerie, Cuisine et Saucerie se disputent la présidence, semblent n'avoir jamais été jouées et n'ont peut-être même pas été écrites pour la scène; elles font dialoguer des abstractions, la première, Barat (tromperie), Hasard et Feintise (ruse), la seconde, les quatre *offices* personnifiés; ce goût des abstractions hérité de la scolastique et du *Roman de la Rose* continuera à se manifester au siècle suivant dans les *moralités* et les *soties*. Ajoutons que si le genre comique n'affirme pas son indépendance au XIVe siècle, il pénètre de plus en plus le théâtre religieux, et qu'on pourrait, dans une certaine mesure, annexer plusieurs *Miracles de Notre-Dame* à l'histoire du théâtre profane.

Le XVe siècle. — En dépit des malheurs de la guerre de Cent Ans, le XVe siècle a été une époque d'intense activité dans le domaine du théâtre profane comme dans celui du théâtre religieux : c'est alors que se constituent dans beaucoup de villes des associations dramatiques analogues aux pieuses confréries de la Passion, mais recrutées dans un milieu de joyeux vivants, notamment dans la *Basoche*, le personnel subalterne des tribunaux, huissiers, greffiers, commis des procureurs, avocats débutants, gens à l'esprit vif, narquois, frondeur, et amis de la chicane. Les Basochiens, à la fois auteurs et interprètes, organisent à leurs jours de fête des représentations pour leur propre amusement et pour celui de la foule; ils cultivent des genres variés : le *monologue dramatique*, auquel on peut rattacher le *sermon joyeux ;* la *moralité ;* la *sotie ;* la *farce.* Examinons tour à tour ces divers genres :

1° *Le monologue dramatique.* — Ce genre pratiqué d'abord par les jongleurs reste en honneur au XVe siècle; beaucoup de ces monologues consistent dans la parodie de sermons (panégyrique de saint Hareng, saint Jambon et sainte Andouille, de saint Ognon et saint Raisin); le meilleur d'entre eux est certainement *le Franc Archer de Bagnolet,* composé entre 1468 et 1473 contre la milice impopulaire des francs archers créée par Charles VII. Le franc archer de ce monologue remarquable par sa verve et son naturel est un *Miles gloriosus,* un Matamore dont les fanfaronnades s'écroulent à la vue d'un épouvantail;

2° *La moralité.* — La *moralité* poursuit un but d'édification, illustre des préceptes moraux, fait à l'occasion la leçon aux rois et aux puissants du jour, critique les institutions et met en scène des allégories; ses sujets sont du reste très variés. Citons *le Concile de Bâle* (1432) et *la Paix de Péronne,* de Georges Chastellain, qui composa ces deux moralités en faveur de ses maîtres les ducs de Bourgogne, *Bien Avisé et Mal Avisé* qui se joua à Rennes en 1439, *l'Homme pécheur* joué à Tours en 1494, où figurent des abstractions personnifiées comme DÉSESPÉRATION DE PARDON, HONTE DE DIRE SES PÉCHÉS, FRANC ARBITRE, etc., et la *moralité* de Henri Baude, élu des finances, dirigée contre ceux qui entravent le cours de la justice : jouée en 1486 à Paris, elle valut à son auteur d'être enfermé quelques mois au Châtelet. La *moralité* a connu une grande faveur en son temps, mais elle nous paraît singulièrement alourdie par ses abstractions personnifiées et il lui a manqué l'observation directe des mœurs et des caractères;

3° *La sotie.* — La *sotie* est le genre cultivé par les *sots,* groupés en confréries comme les Basochiens et continuateurs des bouffons de la Fête des fous, célébrée jadis dans les églises. Vêtus d'une robe jaune et verte, coiffés d'un chaperon aux longues oreilles, et brandissant une marotte, ils se permettent à la faveur de cet accoutrement bien des railleries audacieuses. Comme la *moralité,* la *sotie* met en scène des personnages allégoriques, mais sa virulence satirique est plus grande : c'est du reste dans le premier quart du XVIe siècle que la *sotie* connaîtra sa plus grande vogue, et son chef-d'œuvre, *le Jeu du prince des sots,* de Pierre Gringore;

4° *La farce.* — La *farce* se distingue de la *moralité* et de la *sotie* en ce qu'elle ne se propose nullement d'édifier et qu'elle ne fait pas appel aux personnages allégoriques : malicieuse, directe, souvent grossière, elle peint surtout des gens de petite condition dans leur cadre familier, et grâce à une observation exacte de la réalité elle tend parfois vers la comédie de mœurs et de caractères. De tous les genres dramatiques pratiqués au moyen âge, elle est certainement le plus vivant. Si dans une production mêlée et abondante plusieurs farces sont fort plaisantes, comme la *Farce du cuvier* et la *Farce nouvelle du Pâté et de la Tarte*, la plus célèbre de toutes est la *Farce de maistre Pierre Pathelin*, chef-d'œuvre du théâtre comique français avant Molière. Composée entre 1464 et 1469, elle est anonyme, bien qu'on ait toujours essayé d'en découvrir l'auteur; deux érudits, M. Richard T. Holbrook et M. Louis Cons, l'ont attribuée en dernier lieu à Guillaume Alecis, moine normand dont les œuvres poétiques révèlent une connaissance précise de *Pathelin*, mais aucune preuve décisive n'a été apportée en faveur de cette attribution. Le mérite littéraire de cette farce est éminent : elle est vraiment hors de pair par le jaillissement de la verve comique, la souplesse du dialogue, la dextérité de l'intrigue, le rebondissement des situations, la vérité à la fois dure et nuancée des caractères. Mais cette comédie de la ruse — A trompeur, trompeur et demi — semble bien célébrer sans réserves le triomphe du dol et de la fourberie : on a rarement représenté avec une telle vigueur une humanité asservie à la recherche du profit illégitime et dénuée d'illusions idéalistes. Ce cynisme sans défaillances provient-il d'une immoralité foncière de l'auteur ou de la peinture réaliste d'une époque corrompue? En tout cas il empêche d'accorder à Pathelin la sympathie qu'on ne peut refuser à d'autres héros de la ruse comme Ulysse, Figaro ou même Panurge.

Le XVIe siècle. — Tout comme le théâtre religieux, le théâtre comique du moyen âge se prolonge jusqu'au milieu du XVIe siècle. C'est au mardi gras de l'année 1512 qu'est jouée aux Halles de Paris la célèbre *sotie* de Pierre Gringore, entrepreneur de spectacles, acteur et auteur, *le Jeu du prince des sots :* la pièce, d'inspiration officielle, servait la politique du roi Louis XII par ses vives attaques contre le pape Jules II. Les *moralités* continuent aussi à prospérer : *les Blasphémateurs du nom de Dieu*, en 5 000 vers, *Mundus, Caro, Dæmonia*, vers 1420, *l'Honneur des Dames, les Enfants ingrats* et surtout *la Condamnation de Banquet* de Nicolas de La Chesnaye.

Cependant *soties* et *moralités* sont destinées à périr bientôt sans espoir de résurrection; mais les farces ne cesseront pas d'attirer le peuple et de faire jaillir sa gaieté. Ainsi les bateleurs du Pont-Neuf et de la place Dauphine transmettront au jeune Jean-Baptiste Poquelin, au futur auteur du *Misanthrope*, à Molière *farceur* de génie, le rire toujours jeune de la vieille France.

Décor. — Le décor du théâtre comique, comme celui des *miracles* et des *mystères*[1], était *simultané :* tous les lieux nécessaires au développement successif de l'action étaient juxtaposés.

1. Cf. notre *Théâtre religieux au moyen âge* (Introduction).

BIBLIOGRAPHIE SOMMAIRE

G. COHEN : *le Théâtre en France au moyen âge*, t. II : *le Théâtre profane*, Paris, Rieder (1931).

PETIT DE JULLEVILLE : *le Théâtre en France*, Paris, Colin (1897). — *La Comédie et les Mœurs en France au moyen âge*, Paris, Cerf (1886). — *Les Comédiens en France au moyen âge*, Paris, Cerf (1885).

E. LINTILHAC : *Histoire générale du théâtre en France*, t. II : *la Comédie*, Paris, Flammarion.

F. GAIFFE : *le Rire et la scène française*, Paris, Boivin (1932).

E. FARAL : *les Jongleurs en France au moyen âge* (1910).

G. COHEN : *la Comédie latine en France au XII*e *siècle*, Paris, Les Belles-Lettres, 2 volumes (1931).

LE JEU DE LA FEUILLÉE

NOTICE

Adam de La Halle, né vers le milieu du XIIIe siècle, à Arras, est l'auteur d'un *Congé*[1], de *jeux-partis*[2], et de diverses pièces lyriques. Mais il est surtout connu par ses œuvres théâtrales, *le Jeu de la Feuillée* et *le Jeu de Robin et Marion. Le Jeu de la Feuillée* fut composé et joué à Arras en 1276 ou, au plus tard, en 1277 : c'est une sorte de revue à la fois satirique et lyrique, réaliste et féerique où le poète se met lui-même en scène avec son père et ses voisins. Quant au *Jeu de Robin et Marion*, pastorale dramatique ou plutôt transposition scénique de la *pastourelle*, genre lyrique consacré aux amourettes des bergers et bergères, il a sans doute été composé à Naples où Adam de La Halle avait suivi le comte d'Artois envoyé par le roi de France au secours de Charles d'Anjou après le massacre des Vêpres siciliennes en 1282. Le poète mourut au royaume de Naples entre 1285 et 1289.

Édition : Le Jeu de la Feuillée a été édité par Ernest Langlois dans les « Classiques français du moyen âge », Paris, Champion, 1923.

Traduction : Le Jeu de la Feuillée a été traduit par Ernest Langlois, Paris, E. de Boccard, 1923.

---

1. Pièce où le poète obligé de quitter sa ville natale prend *congé* de ses amis ; 2. *Jeux-partis :* poésie où deux interlocuteurs soutiennent deux thèses opposées en débattant notamment un problème délicat de casuistique amoureuse.

PERSONNAGES

MAITRE ADAM.
MAITRE HENRI, son père.
RIQUIER AURI.
HANE LE MERCIER.
GILLOT LE PETIT.
RAOUL LE WAISDIER, tavernier.
UN MÉDECIN.
RAINELET.
DAME DOUCE.
WALET.
UN MOINE, porteur de reliques.
UN FOU.
LE PÈRE DU FOU.
CROQUESOT, messager du roi de Féerie, Hellequin.
LA FÉE MORGUE.
LA FÉE MAGLOIRE.
LA FÉE ARSILE.
WALAINCOURT, figurant.
LA FOULE.

LE JEU DE LA FEUILLÉE

SCÈNE PREMIÈRE. — ADAM, RIQUIER AURI, HANE LE MERCIER, GILLOT LE PETIT.

ADAM[1]

Seigneurs, savez-vous pourquoi j'ai changé d'habit[2]? J'étais marié, je retourne au clergé[3]. Je réaliserai ainsi ce que je rêve depuis longtemps. Mais auparavant je veux prendre congé[4] de vous tous. Maintenant mes amis ne pourront pas dire que je me suis vanté pour rien d'aller à Paris. On peut sortir d'enchantement; après la maladie revient la santé. D'ailleurs je n'ai pas ici perdu mon temps; je l'ai employé à aimer loyalement : on voit bien encore aux tessons ce que fut le pot[5]. Enfin je m'en vais à Paris.

RIQUIER[6]

Qu'y feras-tu, mon pauvre? Jamais bon clerc n'est sorti d'Arras, et tu voudrais que ce fût toi! Ce serait grande illusion.

ADAM

Riquier Amion n'est-il pas bon clerc et habile à tenir un livre[7]?

HANE

Oui : « A deux deniers la livre », je ne vois pas qu'il sache autre chose. Mais personne n'ose vous reprendre, tant vous avez la tête vive.

RIQUIER

Pensez-vous, beau doux ami, qu'il aille au bout de son propos?

ADAM

Tout le monde méprise mes paroles, à ce que je vois, et en fait fi. Mais puisque je suis poussé par la nécessité

1. Les douze premiers vers du *Jeu* sont de douze syllabes et groupés en trois quatrains monorimes; tous les autres sont de huit syllabes; **2.** Adam porte la cape des étudiants parisiens; **3.** Aux études; *clergé* signifie à la fois « état de clerc » et « instruction de clerc »; **4.** Adam a composé aussi un *Congé* (poème où il prend « congé » de ceux qu'il aime) qui est de la même époque que *le Jeu de la Feuillée;* **5.** Proverbe; **6.** Rikier Auri, appelé familièrement Rikeche (*Richesse* en picard), marchand; **7.** Jeu de mots : habile à tenir son registre de caisse.

et qu'il ne faut compter que sur moi, le séjour d'Arras et ses plaisirs ne me sont pas si chers que je doive leur sacrifier la science. Puisque Dieu m'a donné l'intelligence, il est temps de la tourner vers le bien. J'ai assez vidé ma bourse ici.

GILLOT

Et que deviendra la payse, dame Marie[1], ma commère?

ADAM

Beau sire, elle restera ici avec mon père...

GILLOT

Maître[2], vous ne pouvez vous en aller ainsi. Car, lorsque la sainte Église a uni un couple, c'est pour toujours. Il faut réfléchir avant de se décider.

ADAM

Par ma foi, tu parles sans savoir; il est facile de dire : « suis bien la ligne tracée[3] ». Qui s'en serait gardé au commencement? Amour me surprit à ce moment où l'amant se blesse deux fois s'il veut se défendre contre lui; car je fus pris quand le sang commence à bouillonner, juste en la verte saison et dans l'âpreté de la jeunesse, où la chose a plus grande saveur, où nul ne cherche son bien, mais ce qui lui plaît. L'été brillait, beau, doux et vert et clair et joli, délectable en chants d'oisillons; dans un haut bois, près d'une source qui courait sur du sable scintillant, m'apparut celle que j'ai maintenant pour femme, qui maintenant me semble pâle et sans fraîcheur; elle était alors blanche et vermeille, rieuse, amoureuse et svelte; maintenant je la vois grosse et mal faite, triste et querelleuse.

RIQUIER

C'est grande merveille. Vraiment vous êtes bien changeant d'avoir si vite oublié des traits si charmants. Je sais bien pourquoi vous êtes rassasié.

ADAM

Pourquoi?

RIQUIER

Elle vous a fait trop grande largesse de ses biens.

1. La femme d'Adam : celui-ci avait quitté l'école pour l'épouser; **2.** Adam est en effet déjà maître ès arts (= licencié ès lettres cf. l'anglais M. A., *master of arts*); **3.** Expression empruntée à la langue des tailleurs de pierre.

ADAM

Pfutt! Ce n'est pas cela, Rikeche, mais Amour farde la belle, fait briller dans la femme toutes ses grâces et la fait paraître plus grande, si bien que d'une truande on croit que c'est une reine. Les cheveux semblaient d'or étincelant[1], drus, ondulés et chatoyants; les voilà clairsemés, noirs et pendants. Maintenant tout en elle me semble changé. Elle avait le front bien proportionné, blanc, lisse, large, découvert; je le vois ridé et étroit. Elle avait, à ce qu'il me semblait, les sourcils arqués, fins et marqués d'un trait brun comme au pinceau, à rendre le regard plus beau; je les vois ébouriffés et dressés comme s'ils voulaient voler en l'air. Ses yeux noirs me semblent brillants, vifs, bien fendus, prêts à lier connaissance, grands sous les paupières minces, avec deux petites clôtures jumelles qui s'ouvraient et se fermaient à volonté en regards francs et amoureux; entre eux deux descendait l'arête du nez belle et droite, mesurée selon la juste proportion, qui lui donnait forme et figure et frémissait de gaieté. Entour, sous le bonnet, paraissaient deux blanches joues un peu teintées de vermeil, où le rire mettait deux fossettes; Dieu ne viendrait pas à bout de faire un autre visage pareil au sien, à ce qu'il me semblait. Puis c'était la bouche, mince aux coins et grosse au milieu, fraîche et vermeille comme rose; les dents blanches, bien faites et rapprochées; le menton fosselé d'où naissait la gorge blanche sans creux jusqu'aux épaules, lisse et ronde en descendant; la nuque découverte, blanche et assez pleine, avec un léger pli sur le côté; les épaules bien droites où s'attachaient de longs bras, pleins et minces où il convenait. Et tout cela n'était encore rien pour qui regardait ses blanches mains d'où naissaient ces beaux doigts longs, aux articulations basses, minces au bout, recouverts d'un bel ongle sanguin, lisse et net près de la chair[2]. Et elle s'aperçut bien d'elle-même que je l'aimais mieux que moi. Aussi se comporta-t-elle fièrement envers moi; et plus elle se montrait fière, plus elle faisait croître en moi amour, désir et envie. Jalousie, désespoir et folie s'y mêlèrent. Et de plus en plus je m'enflammai pour son amour et je fus hors

1. La beauté idéale est toujours blonde dans la littérature du moyen âge;
2. Ce genre de description minutieuse ainsi que l'antithèse entre la beauté de la femme jeune et la laideur de la femme vieillie sont de véritables clichés dans la littérature du moyen âge, tant latine que française.

de moi, tant que je ne connus plus de repos avant d'avoir fait d'un maître[1] un seigneur. Bonnes gens, c'est ainsi que je devins prisonnier d'Amour qui me prit à l'improviste; car elle n'avait pas les traits si beaux qu'Amour me les fit paraître.

RIQUIER

Maître, si vous me la laissiez, elle serait bien à mon goût.

ADAM

Je crois bien. Je prie Dieu qu'il ne m'en arrive pas malheur : je n'ai pas besoin d'un surcroît d'ennui; mais je voudrais rattraper le temps perdu et pour m'instruire courir à Paris.

SCÈNE II. — *Les mêmes,* Maître HENRI, *puis* un MÉDECIN, *puis* Dame DOUCE *et* RAINELET.

HENRI

Ah! beau doux fils, que je te plains d'avoir ici tant attendu et perdu ton temps pour une femme! Sois sage maintenant, va-t'en.

GILLOT

Donnez-lui donc de l'argent : on ne vit pas pour rien à Paris.

HENRI

Hélas! Pauvre homme! Où le prendrais-je? Je n'ai plus que vingt-neuf livres!

HANE

Êtes-vous ivre?

HENRI

Non, je n'ai pas bu de vin aujourd'hui. J'ai tout mis en gage : honni soit qui me le conseilla!

ADAM

Quoi? Quoi? Quoi? Quoi? Là-dessus, je puis bien être écolier!

HENRI

Beau fils, vous êtes fort et leste, vous vous tirerez d'af-

1. Jeu de mots sur le titre universitaire d'Adam.

faire tout seul. Je suis un vieil homme toujours toussant, malade, enrhumé, languissant.

LE MÉDECIN

Je sais bien ce qui vous rend malade. Foi que je vous dois, maître Henri, je vois bien ici votre maladie : c'est un mal qu'on appelle avarice. S'il vous plaît que je vous guérisse, vous me parlerez à part. Je suis un maître bien achalandé, il ne manque pas de gens ici et là que je dois guérir de ce mal; dans cette ville en particulier j'en ai bien plus de deux mille pour lesquels il n'y a ni guérison ni soulagement. Halois en est déjà à la mort, on en peut dire autant de Robert Cosel[1], de Faverel[2] le boiteux et de tous leurs enfants.

GILLOT

Par ma foi, ce ne serait pas dommage si chacun était mort et enterré.

LE MÉDECIN

J'ai aussi deux Ermenfrois, Ermenfroi de Paris[3] et Ermenfroi Crespin, que cette cruelle maladie mène à la mort avec leurs enfants et leur famille. Mais pour Halois c'est une chose hideuse, car il est meurtrier de lui-même; s'il en meurt, ce sera de sa faute : il achète des poissons morts, c'est grande merveille qu'il ne crève.

HENRI

Maître, quelle est cette enflure que j'ai là ? Vous connaissez-vous en cette maladie ?

LE MÉDECIN

Prudhomme, as-tu un urinal ?

HENRI

Oui, maître, en voici un.

LE MÉDECIN.

As-tu uriné à jeun ?

HENRI

Oui.

LE MÉDECIN

Voyons donc. Dieu ait sa part[4]. Tu as le mal de saint

1. *Cosel :* connu comme banquier, mort en 1284; 2. La famille *Faverel* est une des plus souvent mentionnées dans les actes d'Arras aux XIIe et XIIIe siècles; 3. *Ermenfroi de Paris :* riche bourgeois; 4. Formule employée avant de commencer une action.

Lienart[1], beau prudhomme, je n'ai pas besoin d'en voir davantage.

HENRI

Maître, faut-il me coucher pour cela?

LE MÉDECIN

Non. J'en ai trois atteints du même mal en cette ville.

HENRI

Qui est-ce?

LE MÉDECIN

Jean d'Auteville, Guillaume Wagon, et le troisième se nomme Adam L'Anstier. Ils sont malades de trop s'emplir le bidon et c'est aussi pour cela que tu as le ventre enflé.

(Survient dame Douce qui demande aussi une consultation au médecin, ce qui donne occasion de quelques réflexions satiriques sur les femmes.)

GILLOT

Ma foi! on a raison de se faire craindre. Je tiens pour sensées et vaillantes les femmes de la Waranche[2] qui se font craindre et respecter.

HANE

La femme de Mahieu L'Anstier, qui fut mariée à Ernoul de la Porte, fait aussi en sorte qu'on la craint et qu'on la ménage. Elle s'aide des ongles et des doigts contre le bailli de Vermandois. Mais je tiens pour sage son mari, qui se tait.

RIQUIER

Il y a aussi dans le voisinage deux bachelettes[3], Margot aux Pumettes et Aélis au Dragon[4], l'une querelle son mari, l'autre parle comme quatre.

GILLOT

Ah! vrai Dieu! Apporte une étole[5] : il a nommé deux diables.

HANE

Maître, ne soyez étonné s'il me faut citer votre femme.

ADAM

Je m'en moque, mais qu'elle ne le sache pas. J'en connais

1. L'obésité (?); 2. Rue d'Arras; 3. Jeunes femmes; 4. *Les Pumettes* (petites pommes) et *Le Dragon* étaient des maisons voisines sur le Petit-Marché, à Arras; 5. Pour exorciser.

bien d'aussi querelleuses : la femme d'Henri des Arjans qui griffe et se hérisse comme un chat, et la femme de maître Thomas de Darnestal[1] qui demeure par là hors de la ville.

HANE

Celles-là ont cent diables au corps, aussi vrai que je suis fils de mon père.

ADAM

Autant en a dame Ève votre mère.

HANE

Votre femme, Adam, ne lui en doit guère.

SCÈNE III. — *Les mêmes*, LE MOINE, *puis* WALET, *puis* LE FOU *et* SON PÈRE.

LE MOINE

Seigneurs, messire saint Acaire[2] est venu ici vous faire visite. Approchez donc tous pour le prier et que chacun verse son offrande, car il n'y a saint d'ici en Irlande qui fasse de si beaux miracles : il chasse l'ennemi[3] de l'homme par le saint mystère de Dieu et il guérit communément sots et sottes de la folie. J'en vois souvent des plus idiots venir à notre monastère de Haspres[4], qui sont en bonne santé au départ; car la relique est de grande vertu; et avec une petite pièce de monnaie vous pouvez vous faire bien voir du saint.

HENRI

Par ma foi, je conseille d'y mener Walet[5] avant qu'il n'aille plus mal.

RIQUIER

Or çà! debout, Walet, passe devant; je crois qu'il n'y a pas plus fou que toi.

WALET

Saint Acaire, donne-moi mon content de pois pilés[6], car je suis, tu le vois, fou déclaré. Je suis bien joyeux de te voir et je t'apporte, beau neveu[7], un fromage bien gras,

1. *Darnestal* était le nom d'une rue d'Arras; 2. *Saint Acaire* était le patron des fous au moyen âge; 3. Le diable; 4. *Haspres :* canton de Bouchain, arrondissement de Valenciennes (Nord); 5. *Walet :* fils d'un ménestrel; 6. Témoignage le plus ancien de l'association des deux mots *sots* et *pois pilés* (écrasés), expression qui désigne souvent au XVe siècle la *Sotie*. *Pois pilés* est peut-être aussi un surnom de Walet; 7. Mot qu'emploie sans cesse Walet. tic de langage.

à ce qu'il me semble; tout entier maintenant tu le mangeras.
Je ne sais pas te faire autrement fête.

HENRI

Walet, par la foi que je dois à saint Acaire, que voudrais-tu avoir donné pour être aussi bon ménestrel que ton père?

WALET

Beau neveu, pour être aussi bon vielleur qu'il fut, je consentirais à être maintenant pendu ou à avoir la tête coupée.

LE MOINE

Ma foi, celui-là est vraiment bête. Il a raison de recourir à saint Acaire. Walet, baise le reliquaire, vite, car voilà la foule qui arrive.

WALET

Baise aussi, beau neveu, Walaincourt.

LE MOINE

Ho! Walet, beau neveu[1], va t'asseoir.

DAME DOUCE

Pour Dieu, sire, veuillez m'entendre. Collart de Bailleul et Heuvin vous font remettre ici deux estrelins[2], car ils ont grande confiance dans le saint.

LE MOINE

Je les connais bien depuis leur enfance, quand ils allaient chasser les papillons. Mettez la monnaie ici devant et amenez-les demain.

WALET

Voici pour Gautier A La Main. Faites aussi prier pour lui : il est malade aujourd'hui du mal qui le tient au cerveau.

HANE

Beuglons tous comme des veaux : on dit que cela le met en fureur.

LA FOULE

Meuh!

LE MOINE

Personne ne donne plus? Avez-vous oublié le saint?

1. Le moine reprend par moquerie l'expression chère à Walet; 2. *Estrelins* : pièces de monnaie.

HENRI

Voici une mesure de blé pour Jean Le Keu, notre sergent. Je le recommande à saint Acaire : il est son dévot depuis longtemps.

LE MOINE

Frère, tu l'as bien recommandé : et où est-il qu'il ne vient pas ici ?

HENRI

Sire, le mal l'a abattu, si bien qu'on l'a un peu couché. Demain il reviendra ici à pied, s'il plaît à Dieu, et il sera mieux.

LE PÈRE DU FOU

Or çà, levez-vous[1], beau fils, et venez prier le saint.

LE FOU

Qu'est-ce que c'est? Voulez-vous me tuer? Canaille hérétique, croyez-vous cet hypocrite? Laissez-moi aller, car je suis roi.

LE PÈRE

Ah! beau doux fils, restez tranquille ou vous aurez des coups.

LE FOU

Je n'en ferai rien; je suis un crapaud et je ne mange que des grenouilles. Écoutez, j'imite les trompettes : est-ce bien fait? Faut-il continuer?

LE PÈRE

Ah! beau doux fils, restez en bas[2] et mettez-vous à genoux. Sinon, Robert Sommeillon[3], qui est de nouveau prince du pui[4], vous frappera.

LE FOU

On est bien tombé en le choisissant. Je suis meilleur prince que lui. A son pui maître Gautier As Paus doit justement faire une chanson, avec un autre, leur pareil, qui se nomme Thomas de Clari. Je les entendis s'en vanter l'autre jour. Maître Gautier s'occupe déjà de jouer du cornet[5] et dit qu'il sera couronné[6].

1. Sans doute le fou et son père sont-ils assis sur l'un des côtés de la scène ou parmi les spectateurs; **2.** Dans la salle, parmi les spectateurs? **3.** *Sommeillon :* riche bourgeois d'Arras; **4.** Président du *pui,* assemblée qui juge des poésies présentées pour l'obtention d'un prix; **5.** Équivoque voulue entre l'instrument de musique et le cornet à dés; **6.** Qu'il emportera le prix au *pui.*

HENRI

Ce sera donc au jeu de dés : ils ne cherchent pas d'autre plaisir.

LE FOU

Écoutez comment notre vache mugit. *(Il saute sur le dos de son père.)*

LE PÈRE

Ah! sot puant, ôtez vos mains de mes habits ou je vous frappe.

LE FOU

Quel est ce clerc avec cette cape?

LE PÈRE

Beau fils, c'est un Parisien.

LE FOU

Il ressemble plutôt à un pois bouilli[1]. Ouaou!

LE PÈRE

Qu'est-ce? Taisez-vous pour les Dames[2].

LE FOU

S'il se souvenait des bigames[3], il serait moins orgueilleux.

RIQUIER

Hé! Hé! maître Adam, et de deux : cette fois-ci c'est pour vous.

ADAM

Qu'il blâme ou qu'il loue, que sait-il? Je ne fais pas attention à ce qu'il dit. Je ne suis pas bigame et pourtant il y en a de plus haut placés que moi qui le sont.

HENRI

Certes la faute fut très grande et chacun blâma le pape quand il déposa tant de bons clercs. Néanmoins la chose n'ira pas toute seule, car certains, parmi les plus haut placés et les plus riches, se sont vantés de prouver très clairement, par raisons solides, que nul clerc ne peut être légitimement réduit en esclavage parce qu'il est marié. Rome a réduit en servitude et humilié un bon tiers des clercs.

1. Il a plutôt l'air d'un sot (cf. p. 21, note 6); **2.** *Les Dames :* les fées qu'on attend. Le fou a fait mine d'aboyer contre Adam; **3.** Les *bigames* sont les clercs remariés ou ayant épousé une veuve; le pape Grégoire X (mort en 1276) avait voulu leur enlever le privilège des clercs.

GILLOT

Plumus[1] s'est vanté — ou bien il y perdra son latin — de recouvrer ce qu'on lui enlève, dût-il le payer un peson[2] d'étoupes. Quant au pape qui a commis cette faute, il est heureux pour lui qu'il soit mort. Il n'aurait été si puissant ni si fort que Plumus ne l'eût déposé. S'il s'était avisé de lui retirer son privilège de clerc, il s'en serait trouvé fort mal.

HANE

Plumus est très sage à moins qu'il ne radote. Mais Mados et Gilles de Sains ne se vantent pas moins. Maître Gilles sera l'avocat, il présentera les arguments pour recouvrer leurs privilèges et dit qu'il fournira sa science si Jean Crépin fournit l'argent. Jean leur a promis de donner ses écus, car il serait bien malheureux d'être soumis à la taille. Il fera belle dépense autant qu'il faudra.

HENRI

J'ai deux voisins dans la Cité[3] qui sont bons notaires; ils s'engagent à dresser pour rien tous les actes du procès, tant ils trouvent la mesure indigne : il faut dire qu'ils sont tous deux bigames.

GILLOT

Qui est-ce?

HENRI

Colart Fousedame et Gilles de Bouvignies. Ils dresseront autant d'actes qu'on voudra et plaideront de concert pour tous.

GILLOT

Hé! Hé! Maître Henri, vous aussi vous avez eu plus d'une femme, et si vous voulez avoir leur assistance, il faut donner de votre argent.

HENRI

Gillot, vous moquez-vous de moi? Par Dieu, je n'ai pas d'argent; je n'ai plus longtemps à vivre et n'ai pas besoin de plaider. Je ne redoute pas les tailles pour le peu de bien que j'ai. Qu'ils s'adressent à Marie Le Jaie[4] : elle s'y connaît en procès.

1. Clerc bigame, comme Mados, Gilles de Sains et Jean Crépin, cités plus loin; **2.** *Peson :* petite mesure de poids; **3.** Arras comprenait *la Cité* avec la cathédrale et *la Ville* avec l'abbaye de Saint-Waast; **4.** Sans doute femme ou bru de maître Henri.

GILLOT

Oui vraiment, vous amassez bien.

HENRI

Non, tout passe en vin. J'ai été longtemps au service des échevins[1], je ne veux point être contre eux; je préférerais perdre cent sous que leurs bonnes grâces.

GILLOT

Vous êtes toujours du côté du plus fort; vous y prenez bien garde, maître Henri. Par ma foi, c'est encore bien là un des traits de la vieille danse[2].

LE FOU

Ah! Hai! Celui-là a dit qu'on me ferme la bouche. Je vais le tuer.

LE PÈRE

Ah! Beau doux fils, restez tranquille. C'est des bigames qu'il parle.

LE FOU

Et me voici pour parler au pape. Faites-le donc venir devant moi.

LE MOINE

Dieu, mon ami, qu'il fait bon entendre ce fou-là! Il dit merveilles. Prudhomme, dit-il autant de balivernes quand il est loin des gens?

LE PÈRE

Sire, il n'est jamais autrement. Toujours il délire ou chante ou crie; il ne sait jamais ce qu'il fait, et encore moins ce qu'il dit.

LE MOINE

Combien y a-t-il que le mal le prit?

LE PÈRE

Ma foi, sire, il y a bien deux ans.

LE MOINE

Et d'où êtes-vous?

LE PÈRE

De Duisans[3]. J'ai eu bien du désagrément à le garder.

1. *Echevins :* magistrats municipaux; 2. *Savoir la vieille danse :* être habile, madré; 3. *Duisans :* village à 6 kilomètres ouest d'Arras.

Voyez comme il hoche la tête : son corps n'est jamais en repos. Il m'a bien brisé deux cents pots : car je suis potier dans notre ville.

LE FOU

J'ai entendu Hesselin[1] chanter la geste d'Anséis et de Marsile[2]. Dis-je vrai? Témoin ce coup *(Il frappe son père)*. Ai-je bien employé trente sous? Il me bat tant, ce grand ribaud, que je suis devenu un cholet[3].

LE PÈRE

Il ne sait ce qu'il fait, le pauvre garçon. On le voit bien quand il bat son père.

LE MOINE

Beau prudhomme, par l'âme de ta mère, agis comme il faut : ramène-le chez toi[4]. Mais auparavant fais ici ta prière et offre de ton argent, si tu en as, car il est fatigué d'être éveillé; demain tu le ramèneras ici, quand il aura un peu dormi. Aussi bien ne fait-il que rabâcher.

LE FOU

Ce moine te dit de me battre?

LE PÈRE

Non. Beau fils, allons-nous-en. Tenez, aujourd'hui je n'ai pas plus d'argent. Beau fils, allons dormir un peu et prenons congé de tous.

LE FOU

Ouaou!

(Le fou et son père sortent.)

SCÈNE IV. — *Les mêmes, moins le Fou et son Père, puis* CROQUESOT, *puis les trois fées,* MORGUE, MAGLOIRE, ARSILE.

RIQUIER[5]

Qu'est ceci? Perdons-nous ce jour en sottises? N'aurons-nous que des fous et des folles? Sire moine, voulez-vous bien faire? Mettez votre reliquaire en sûreté. Je sais bien

1. *Hesselin :* jongleur, chanteur de geste; 2. *Anséis* et *Marsile :* personnages de chansons de geste; 3. *Cholet :* petite boule pour iouer à la choule; 4. Le moine est visiblement importuné par la présence du fou et ne semble pas tenir à éprouver sur lui la vertu de ses reliques qui guérissent de la folie; 5. Riquier et Adam dressent et servent une table.

que sans vous cet endroit aurait vu depuis longtemps une grande merveille de féerie : dame Morgue[1] et son cortège seraient maintenant assis à cette table; car selon une coutume immuable les fées viennent cette nuit[2].

LE MOINE

Beau doux sire, ne vous inquiétez pas : puisqu'il en est ainsi, je vais m'en aller. Je ne recevrai plus d'offrande aujourd'hui. Toutefois permettez-moi de rester céans et de voir ces grandes merveilles. Bien sûr je ne les croirai pas, mais je verrai comment les choses se passent.

RIQUIER

Alors silence et tenez-vous tranquille. Je ne pense pas qu'elles tardent, car il est à peu près l'heure; elles sont en chemin.

GILLOT

J'entends, il me semble, la maînie d'Hellequin[3], qui vient devant, faisant sonner mainte clochette; je crois bien qu'ils sont tout près.

DAME DOUCE

Les fées viendront après?

GILLOT

Que Dieu m'aide! Oui, je crois.

RAINELET, *à Adam.*

A moi, sire, il y a danger. Je voudrais être à la maison.

ADAM

Mais non, tais-toi : ce sont de belles dames bien habillées.

RAINELET

Au nom de Dieu, sire, ce sont les fées. Je m'en vais.

ADAM

Assieds-toi, vaurien.

CROQUESOT[4]

Le chapeau me sied-il bien[5]? Qu'est ceci? Il n'y a per-

1. *Morgue :* fée surtout connue par les romans arthuriens, sœur du roi Arthur; 2. Sans doute la nuit de la Saint-Jean. Le repas offert aux fées est destiné à attirer leur bienveillance; 3. La suite d'Hellequin, la chevauchée des tempêtes, la *Wilde Jagd* des Allemands. *Hellequin*, roi de féerie, figure aussi dans l'Enfer des mystères et dans celui de Dante; 4. *Croquesot :* messager d'Hellequin; 5. Ce vers, qui était sans doute chanté, sera répété par le messager à son départ; voir p. 36.

sonne ici ? J'ai manqué, je pense, le rendez-vous pour avoir trop tardé, ou bien elles ne sont point venues. Dites-moi, vieille recrépie, avez-vous vu Morgue la fée avec son cortège ?

DAME DOUCE

Non certes. Doivent-elles venir ici ?

CROQUESOT

Oui, et manger à loisir, à ce qu'on m'a fait savoir. Il faut que je les attende.

RIQUIER

A qui es-tu, dis, petit homme barbu ?

CROQUESOT

Qui ? moi ?

RIQUIER

Bien sûr.

CROQUESOT

Au roi Hellequin, qui m'a envoyé en messager vers madame Morgue la savante[1], que mon seigneur aime d'amour ; je vais l'attendre par ici, car elles m'ont indiqué ce lieu.

RIQUIER

Asseyez-vous donc, monsieur le courrier.

CROQUESOT

Volontiers, en attendant qu'elles viennent. Oh ! les voici.

RIQUIER

Ce sont bien elles. Pour Dieu, ne sonnons plus mot.

(Tous se cachent.)

MORGUE

Sois le bienvenu, Croquesot. Que fait Hellequin, ton seigneur ?

CROQUESOT

Madame, il est votre ami fidèle. Il vous salue ; je l'ai quitté hier[2].

MORGUE

Dieu vous bénisse tous les deux !

1. *Savante :* experte en enchantements et dans l'art de guérir ; 2. Il est plus de minuit.

CROQUESOT

Madame, il m'a chargé d'une affaire qu'il veut que je vous expose de sa part; vous l'entendrez quand il vous plaira.

MORGUE

Croquesot, assieds-toi là un instant; je t'appellerai tout à l'heure. Or çà, Magloire, passez devant, vous, Arsile, après elle, et moi-même je m'assiérai ici, au bout, à vos côtés.

(Elles s'assoient toutes trois à table.)

MAGLOIRE

Je suis assise à la dernière place, où on n'a pas mis de couteau[1].

MORGUE

Je sais bien que j'en ai un beau.

ARSILE

Et moi aussi.

MAGLOIRE

Et qu'est-ce à dire que je n'en ai pas? Suis-je la moindre? Que Dieu m'aide! il m'estima peu celui qui décida après réflexion que je serais la seule à manquer de couteau.

MORGUE

Dame Magloire, ne vous en faites pas de souci, car nous de ce côté nous en avons deux.

MAGLOIRE

Mon chagrin en est plus grand, que vous en ayez et moi non.

ARSILE

N'y faites pas attention, madame; cela peut arriver. Je pense qu'on ne l'a pas fait exprès.

MORGUE

Belle douce compagne, regarde comme c'est beau ici, clair et propre.

ARSILE

Il est juste que nous fassions un beau présent à celui qui s'occupe de nous préparer ce lieu.

1. De même, dans beaucoup de contes de fées (cf. *la Belle au bois dormant*, de Perrault), une fée se dépite d'avoir été moins bien servie que ses compagnes et se venge de cet affront.

MORGUE

Qu'il en soit ainsi, par Dieu. Mais nous ne savons qui c'est.

CROQUESOT

Dame, avant que tout ceci ne fût prêt, je suis arrivé pendant qu'on achevait de mettre la table; deux clercs s'en occupaient, et j'entendis que les gens appelaient l'un d'eux Riquier Auri et l'autre Adam, fils de maître Henri : ce dernier était vêtu d'une cape.

ARSILE

Il est juste qu'ils en tirent avantage et que chacune leur fasse un don. Dame, que donnerez-vous à Riquier? Commencez.

MORGUE

Je lui fais un beau cadeau : je veux qu'il ait abondance d'argent. Et pour l'autre, je veux qu'on ne puisse trouver plus amoureux en nul pays.

ARSILE

Je veux aussi qu'il soit plaisant et bon faiseur de chansons.

MORGUE

Il faut encore un don à l'autre. A vous de commercer.

ARSILE

Dame, je désire que son commerce prospère et multiplie.

MORGUE, *à Magloire.*

Et vous, dame, ne soyez pas à ce point dépitée, qu'ils ne reçoivent de vous aucun bien.

MAGLOIRE

De moi, certes, ils n'auront rien. Ils doivent bien se passer d'un beau présent, puisque je me suis passée de couteau. Honni soit qui leur donnera rien!

MORGUE

Ah! dame, cela n'arrivera pas qu'ils n'aient de vous quelque don.

MAGLOIRE

Belle dame, s'il vous plaît, aujourd'hui, vous m'en dispenserez.

MORGUE

Il faut que vous fassiez comme nous, dame, si vous nous aimez un peu.

MAGLOIRE

Je veux que Riquier soit pelé et qu'il n'ait pas de cheveux devant. Pour l'autre, qui va se vantant d'aller à l'école à Paris, je veux qu'il s'encanaille avec les gens d'Arras et qu'il s'oublie entre les bras de sa femme, qui est amoureuse et tendre, au point d'oublier et de haïr l'étude et d'ajourner son départ.

ARSILE

Hélas! dame, qu'avez-vous dit! pour Dieu, révoquez cette sentence.

MAGLOIRE

Par l'âme en qui réside la vie de mon corps, il en sera comme j'ai dit.

MORGUE

Certes, dame, cela me peine : je me repens bien de vous avoir adressé une requête aujourd'hui, mais je n'y puis rien. Je pensais, par ces deux mains, qu'ils dussent avoir au moins de vous chacun un beau joyau.

MAGLOIRE

Non, mais ils paieront cher le couteau qu'ils ont oublié de mettre sur la table.

MORGUE

Croquesot!

CROQUESOT

Madame.

MORGUE

Si tu as une lettre ou quelque chose à me dire de la part de ton seigneur, avance-toi.

CROQUESOT

Dieu vous le rende! C'est que j'avais grand hâte. Tenez.

MORGUE

Ma foi, c'est peine perdue[1]. Il me requiert céans d'amour, mais j'ai le cœur tourné ailleurs. Dis-lui qu'il emploie mal ses soins.

1. Morgue lit une lettre que lui a remise Croquesot.

CROQUESOT

Pauvre de moi! Dame, je n'oserais : il me jetterait dans la mer. Et pourtant vous ne pouvez aimer, Madame, plus vaillant que lui.

MORGUE

Si, je le puis.

CROQUESOT

Qui donc, Madame?

MORGUE

Un damoiseau de cette ville qui est plus preux que cent mille de ces gens pour qui nous avons tort de nous tourmenter.

CROQUESOT

Qui est-ce?

MORGUE

Robert Sommeillon[1], qui est adroit aux armes et à l'équitation. Il joute pour moi par tout le pays dans les tournois de table ronde. Il n'y a si preux dans le monde entier, ni qui sache mieux se tirer d'affaire. On vit bien à Montdidier[2] s'il était le meilleur ou le pire jouteur. Il s'en ressent encore à la poitrine, aux épaules et aux bras.

CROQUESOT

N'est-ce pas celui qui avait un habit vert rayé de vermeil?

MORGUE

C'est cela même.

CROQUESOT

Je le savais bien. Mon maître en est jaloux depuis l'autre jour qu'il jouta en cette ville, précisément, au Marché. Il se vantait à votre sujet. Aussitôt qu'il commença la course, mon seigneur se cacha dans la poussière et donna au cheval un croc-en-jambe qui fit tomber le jeune homme avant qu'il n'eût atteint son adversaire.

MORGUE

Ma foi, on se moque beaucoup de lui; malgré cela il me semble fort courageux, peu bavard, silencieux et discret :

1. C'est le nouveau prince du pui; **2.** *Montdidier :* aujourd'hui chef-lieu d'arrondissement du département de la Somme.

il n'y a pas moins mauvaise langue. Sa personne me touche tant que je veux l'aimer : qu'y faire ?

ARSILE

Vous n'avez pas le cœur dans la chausse[1], dame, de penser à un tel homme : vrai, entre la Lis et la Somme on ne trouverait plus faux ni plus trompeur. Et dès qu'il arrive en un lieu, il veut se mettre au-dessus des autres.

MORGUE

Est-il vrai ?

ARSILE

Assurément.

MORGUE

Que la main de Dieu me signe et me bénisse ! Je me tiens maintenant pour méprisable d'avoir pensé à ce mauvais garçon et laissé le plus grand prince qui soit en Féerie.

ARSILE

Vous avez bien raison, dame, de vous repentir.

MORGUE

Croquesot !

CROQUESOT

Madame.

MORGUE

Porte mes amitiés à ton seigneur.

CROQUESOT

Madame, je vous en remercie au nom de mon grand seigneur le roi. Qu'est-ce que je vois là[2], madame, sur cette roue ? Sont-ce des gens ?

MORGUE

Non, mais de belles moralités. Et celle qui tient la roue est notre commune servante : elle est, de naissance, muette, sourde et aveugle.

CROQUESOT

Comment s'appelle-t-elle ?

1. C'est-à-dire : Vous avez le cœur haut placé; Arsile parle ironiquement;
2. Sans doute la toile du fond s'écarte pour découvrir le nouveau tableau de Fortune et de sa roue.

MORGUE

Fortune[1]. Tous les êtres dépendent d'elle. Elle tient le monde entier en sa main. Elle fait un homme, pauvre aujourd'hui, riche demain, et elle ne connaît pas celui qu'elle élève. Aussi nul ne doit-il avoir confiance en elle à quelque haut degré qu'il soit monté; car si cette roue se déclenche, il lui faut redescendre au plus bas.

CROQUESOT

Dame, qui sont ces deux là-haut qui semblent chacun si grands seigneurs?

MORGUE

Il n'est pas bon de tout dire : sur ce sujet je m'abstiendrai.

MAGLOIRE

Je te le dirai, Croquesot. Parce qu'on m'a irritée, je n'épargnerai personne aujourd'hui. Tout ce jour je ne révélerai que déshonneur. Ces deux là-haut sont bien vus du comte et sont maîtres de la ville. Fortune les a mis en honneur. Chacun d'eux est roi en son lieu.

CROQUESOT

Qui est-ce?

MAGLOIRE

C'est sire Ermenfroi Crespin et Jacquemon Louchart[2].

CROQUESOT

Je les connais bien, ce sont des avares.

MAGLOIRE

Du moins règnent-ils maintenant et l'on courtise leurs enfants qui voudront régner après eux.

CROQUESOT

Lesquels?

MAGLOIRE

En voici au moins deux. Chacun suit son père en tous points. Je ne sais quel est celui qui se tient au sommet.

1. *Fortune* (*Fortuna*, la déesse païenne) et sa roue ont connu au moyen âge une vogue immense; cette allégorie représente la destinée, le hasard, le changement perpétuel des biens. La fée Morgue emporte ici avec elle l'idole et sa roue : mais cette mainmise de la féerie sur *Fortune* est une simple fantaisie d'Adam qui, pour rendre le jeu plus saisissant, fait tourner sur la roue des personnages bien connus de sa ville; **2.** Tous deux jouissent pour le moment de la faveur du comte.

CROQUESOT

Et cet autre là qui trébuche, a-t-il déjà fait sa pelote?

MAGLOIRE

Non, c'est Thomas de Bourriane[1] que le comte traitait avec faveur; mais voici que Fortune le fait descendre et le renverse sens dessus dessous. Pourtant on l'a attaqué et on lui a fait dommage sans raison. C'est surtout dans sa maison qu'on voulait lui faire grand tort.

ARSILE

Celui qui en fit ainsi un homme mort a mal agi. Il n'avait pas encore besoin de cela, car il avait dû laisser son métier de drapier pour brasser la bière.

MORGUE

C'est Fortune qui l'a abaissé. Il ne l'avait pas mérité.

CROQUESOT

Dame, quel est cet autre ici, tout nu et déchaussé?

MORGUE

Celui-là, c'est Leurin Le Cavelau, qui ne se relèvera jamais.

ARSILE

Si, dame, il le peut, si quelque belle chose là-haut s'élève.

CROQUESOT

Madame, je désire revenir vite vers mon maître.

MORGUE

Dis-lui, Croquesot, qu'il se réjouisse et qu'il ait toujours joyeuse mine, car je serai son amie chère aussi longtemps que je vivrai.

CROQUESOT

Madame, sur ce je m'en irai.

MORGUE

Oui, dis-le-lui hardiment et porte-lui ce présent de ma part. Tiens, bois d'abord, si tu veux.

CROQUESOT

Le chapeau me sied-il bien? *(Il sort.)*

1. *Thomas de Bourriane* avait été condamné récemment, mais on ne sait ni pour quelle raison ni à quelle peine. Adam prend ici sa défense.

MORGUE

Belles dames, s'il vous plaisait, il me semble qu'il serait temps de nous en aller, avant qu'il fît jour. Ne séjournons pas ici davantage, car il ne faut pas que nous allions de jour en un lieu où passe aucun homme. Hâtons-nous d'aller vers le Pré[1], je sais qu'on nous y attend.

MAGLOIRE

Vite, allons-nous-en par là; les vieilles femmes de la ville nous y attendent.

MORGUE

Est-ce dans un mauvais dessein?

MAGLOIRE

Voici dame Douce qui vient nous trouver à ce sujet.

DAME DOUCE

Qu'est ceci, belles dames? C'est grand ennui et grande honte que vous ayez tant tardé. Toute la nuit j'ai fait sentinelle et ma fille aussi vous a cherchées à la Croix au Pré[2]. Nous vous y avons attendues et cherchées par les rues. Vous nous avez trop fait veiller.

MORGUE

Pourquoi, la Douce?

DAME DOUCE

Là-bas on m'a fait et dit des vilenies devant le monde : un homme que je veux avoir entre les mains. Si je puis, il sera bientôt en bière ou tourné sens devant derrière[3]... je l'aurai bientôt arrangé en son lit comme j'arrangeai l'autre année Jacquemon Pilepois et l'autre nuit Gillon Lavier[4]

MAGLOIRE

Allons, nous irons vous aider. Prenez avec vous Agnès votre fille et une femme qui demeure dans la Cité, qui n'en aura pas pitié.

MORGUE

La femme de Gautier Mulet?

1. *Le Pré* était un quartier (anciennement une prairie) au nord de la ville; 2. *Croix au Pré :* place entre *le Pré* et *le Jardin*, autre quartier de la ville; 3. Ici un vers très obscur : *Devers les piés ou vers les dois;* 4. Il s'agit de malades.

DAME DOUCE

C'est elle. Allez devant. Je m'en vais aussi.

LES FÉES, *chantant.*

Par ici va la gentillesse, par ici où je vais.

(Elles sortent.)

SCÈNE V

LE MOINE

Ah! Dieu! Quel somme j'ai fait[1]!

HANE

Marie! Moi je suis resté tout le temps éveillé. Allons! partez vite.

LE MOINE

Non, frère, pas avant d'avoir mangé, par la foi que je dois à saint Acaire.

HANE

Eh bien! moine, voulez-vous bien faire? Allons chez Raoul Le Waisdier[2] : il a des restes d'hier, peut-être bien qu'il nous en donnera.

LE MOINE

Bien volontiers. Qui m'y mènera?

HANE

Personne ne vous mènera mieux que moi; nous trouverons là-bas, je crois, bonne compagnie qui s'y rassemble, où nul ne se dispute : Adam, le fils de maître Henri, Veelet, Rikeche Auri et, peut-être, Gillot Le Petit.

LE MOINE

Par le saint Dieu, je veux bien. D'ailleurs mes affaires vont bien ici. Tiens, voici un beignet qu'offrit au saint je ne sais quel pauvre diable. Pour toi, je ne le compterai pas : au contraire, ce n'est qu'un acompte que je te donne.

HANE

Allons-nous-en donc à la taverne avant que les clients ne l'aient envahie. Regardez, déjà la table est mise, et voilà Rikeche à côté. Rikeche, as-tu vu l'hôte[3]?

1. Le moine a dormi pour ne pas voir les apparitions païennes des fées; **2.** *Le Waisdier :* tavernier, appelé familièrement Ravelet (Raoulet); **3.** Le tavernier.

RIQUIER

Oui, il est dedans. Raoulet!

LE TAVERNIER

Me voici.

HANE

Qui s'occupe de tirer du vin? Il n'y en a plus?

LE TAVERNIER

Seigneur, soyez le bienvenu[1]! Je vous veux fêter par saint Gilles! Goûtez ce qu'on vend en cette ville. Dégustez, je le vends avec l'autorisation des échevins.

LE MOINE

Volontiers, donnez.

(Il boit.)

LE TAVERNIER

Est-ce du vin? On n'en boit pas de pareil au couvent. Et je vous garantis qu'il n'est pas arrivé d'Auxerre[2] cette année.

RIQUIER

Apportez-moi donc un verre, je vous prie, et asseyons-nous en bas[3]. Nous mettrons le pot sur le rebord.

GILLOT, *arrivant.*

Parfait!

RIQUIER

Qui vous a demandé, Gillot? On ne peut plus être tranquille!

GILLOT

Assurément, Riquier, ce n'est pas vous. De vous je n'ai guère à me louer. Qu'est-ce? Monseigneur saint Acaire a-t-il fait des miracles céans?

LE TAVERNIER

Avez-vous perdu la tête, Gillot? Taisez-vous. Vous avez eu tort de venir.

GILLOT

Oh! bel hôte, je ne dis plus rien. Hane, demandez à

1. Le tavernier s'adresse au moine; **2.** Le vin d'Auxerre était particulièrement estimé au moyen âge; **3.** Il est probable que Riquier et le moine descendent dans la salle et mettent le pot de vin sur le rebord de la scène constituée par une simple estrade, et non sur un appui de fenêtre, comme semble le supposer Ernest Langlois, dans le glossaire de son édition.

Raoulet s'il n'y a pas céans quelque reste qu'il ait déjà relégué hier soir dans la cage aux poulets.

LE TAVERNIER, *servant Hane.*

Oui, un hareng de Gernemue[1], rien de plus; je vous entends bien, Gillot.

GILLOT, *attrapant le hareng.*

En tout cas voici le mien. Maintenant, Hane, demandez-lui le vôtre.

LE TAVERNIER

Je t'intime l'ordre d'ôter la patte et de le laisser en commun pour vous tous. Ce n'est pas beau d'être glouton.

GILLOT

Bon! C'était pour rire.

LE TAVERNIER

Mettez donc le hareng ici.

GILLOT

Le voici, je n'en goûterai pas, mais j'essaierai un peu de ce vin avant qu'on ne le mouille. *(Il boit.)* Pour sûr il a été coupé d'eau, et il sent un peu le tonneau.

LE TAVERNIER

Ne dites pas de mal de notre vin, Gillot, ce ne sera que poli. Nous sommes en société, n'en médisez donc pas.

GILLOT

Je n'en fais rien.

(Entrent Adam et maître Henri.)

HANE

Voici maître Adam qui fait l'homme sage parce qu'il va être écolier. J'ai vu le temps où il se serait assis volontiers avec nous pour déjeuner.

ADAM

C'est que, beau sire, il faut devenir raisonnable. Pardieu, je ne le fais pas pour autre chose.

HENRI

Vas-y, mon Dieu, il n'y a pas de mal. Tu y vas bien quand je ne suis pas là.

1. *Gernemue :* Yarmouth, en Angleterre, célèbre au moyen âge par ses pêcheries de harengs.

ADAM

Pardieu, sire, je n'irai pas aujourd'hui, si vous ne venez avec moi.

HENRI

Va donc, passe devant, me voici.

HANE

Ah! Dieu! En voilà un écolier! Et de l'argent bien employé! Est-ce que les autres font de même à Paris?

RIQUIER

Voyez, ce moine est endormi.

LE TAVERNIER

Eh là! tous, écoutez! Nous allons lui dire qu'il doit toute la dépense et que Hane a joué pour lui.

LE MOINE[1].

Ah! mon Dieu! que je me suis attardé! Eh! l'hôte, qu'est-ce que je vous dois?

LE TAVERNIER

Bel hôte, vous ne devez guère : vous n'aurez pas de peine à payer comptant. Ne vous impatientez pas, je calcule. Vous me devez douze sous. Remerciez-en votre bon ami, qui vient de les perdre pour vous.

LE MOINE

Pour moi?

LE TAVERNIER

Oui.

LE MOINE

Je dois tout cela?

LE TAVERNIER

Certainement.

LE MOINE

Ai-je donc si profondément dormi? Je m'en serais tiré, je crois, à meilleur marché rue des Filous. Ce n'est ni en mon nom ni sur ma demande qu'il a joué aux dés.

LE TAVERNIER

Chacun ici est prêt à donner sa parole que c'est pour vous qu'il a joué.

1. Il se réveille.

LE MOINE

Hé! Dieu! il ferait bon jouer avec vous, bel hôte, si l'on se fiait à vous! Venir boire ici ne vaut rien, puisqu'on s'y moque ainsi du monde.

LE TAVERNIER

Payez, moine! Çà, l'argent que vous me devez! Prétendez-vous le contester?

LE MOINE

Si je paie, je veux devenir aussi fou que le dément de cette nuit!

LE TAVERNIER

Quoique cela vous pèse et vous chagrine, vous guetterez céans le chant du coq ou vous me laisserez ce froc. Vous aurez le corps et moi l'écorce.

LE MOINE

Me ferez-vous donc violence?

LE TAVERNIER

Oui, si vous ne me payez.

LE MOINE

Je vois bien qu'on m'a mis dedans, mais c'est la dernière fois. Là-dessus, je m'en vais avant que ne revienne un nouvel écot.

LE MÉDECIN, *entrant.*

Moine, vous avez bien raison, par ma tête, de vous en aller. *(Aux autres.)* Certes, seigneurs, vous vous tuez. Vous vous rendrez tous paralytiques, ou je tiens la médecine pour fausse, d'être encore à cette heure à la taverne.

GILLOT

Maître, vous perdez le sens : la médecine, je ne la prise pas une noix. Asseyez-vous.

LE MÉDECIN

Allons, pour une fois, donnez-moi, s'il vous plaît, à boire[1].

GILLOT

Tenez, et mangez cette poire.

1. L'effet comique est amené ici assez gauchement et tourne court.

LE MOINE

Bel hôte, écoutez un peu : vous avez pris de moi votre bénéfice; gardez un peu mes reliques, car pour l'instant je ne suis pas riche; je les rachèterai demain. *(Il sort.)*

LE TAVERNIER

Allez, elles sont en mains sûres.

GILLOT

Oui, vraiment, pardieu.

LE TAVERNIER

Maintenant je peux prêcher. Je vous requiers par saint Acaire, vous, maître Adam, et vous, Hane, je vous prie tous de braire et de célébrer solennellement ce saint qu'on a arrosé, par un étrange tour, il est vrai.

LES COMPAGNONS CHANTENT

« Aie se tient sur une haute tour[1]. » Bel hôte, est-ce bien chanté ?

LE TAVERNIER

On peut vous faire ce compliment que jamais ce ne fut si bien dit.

LE DÉNOUEMENT

(Texte[2].)

LI DERVÉS[3].

1029 Ahors[4]! Le fu[5]! Le fu! Le fu!
Aussi bien cante jou k'il font.

1. Premier vers d'une *chanson de toile* perdue. Les *chansons de toile* étaient ainsi appelées sans doute parce que les femmes les chantaient en travaillant : elles racontaient brièvement une aventure d'amour; 2. Le texte est écrit en dialecte picard; principales caractéristiques du picard : *c* placé devant *a* latin reste *dur* au lieu de passer à *ch : cambre* pour « chambre », *kief* pour « chief »; ce *c* dur peut d'ailleurs être écrit *ch.* — Le *g*, placé devant un *a* latin, reste également dur au lieu de devenir *j : gambe* pour « jambe », *goie* (lat. *gaudia*) pour « joie ». — Devant *e* et *i*, *c* latin devient *tch* (noté par *c* comme en français ou par *ch : ce* ou *che* (pronom démonstratif neutre) se prononçait *tche; racine* ou *rachine* se prononçait ratchine. — Le picard écrit *Diu* pour « Dieu », *liu* pour « lieu », *fius* ou *fieus* pour « fils », *tierre* pour « terre », *biauté* pour « beauté », etc. — Le *t* final étymologique des mots tels que *bontet, santet, venut, abatut* s'est conservé en picard jusqu'au XIVe siècle, beaucoup plus tard qu'en français. — L'article féminin est *le* (au lieu de *la*), mais cet article féminin n'a pas de formes contractes : on dit *dou mur* (du mur) et *de le maison* (de la maison); le pronom féminin personnel « la » a aussi la forme *le ;* les adjectifs possessifs sont *me, te, se, men, ten, sen* (au lieu de *ma, ta, sa, mon, ton, son*); 3. Le fou; 4. Dehors (cri d'alarme). Cette scène se passe hors de la taverne, sans doute dans la salle; 5. Le feu!

LI MOINES[1]

Li chent diavle[2] aporté vous ont!
Vous ne me faites fors damage.
Vo[3] pere ne tieng mie a sage
Quant il vous a ramené chi.

LI PERES AU DERVÉ

Chertes, sire, che poise mi[4].
D'autre part, je ne sai ke faire,
Car, s'il ne vient a saint Acaire,
Ou ira il querre[5] santé?
Chertes, il m'a ja tant cousté
K'il me couvient querre[6] men pain.

LI DERVÉS

Par le mort Dieu, je muir[7] de faim.

LI PERES AU DERVÉ

Tenés, mengiés dont[8] cheste pume[9].

LI DERVÉS

Vous i mentés, ch'est une plume[10].
Alés, ele ore[11] a Paris.

LI PERES

Biaus sire Dieus, con[12] suis honnis
Et perdus, et k'il me meskiét[13]!

LI MOINES

Chertes, ch'est trop bien emploiét[14].
Pour coi le ramenés vous chi?

LI PERES

Hé! sire, il ne feroit aussi
En maison fors desloiauté.
Ier le trouvai tout emplumé
Et muchiét par dedens se keute[15].

MAISTRE HENRIS

1053 Dieus! Qui est chieux[16] qui la s'akeute[17]?
Boi bien[18]! Le glout[19]! Le glout! Le glout!

1. Il revient avec ses douze sous pour dégager les reliques de saint Acaire; **2.** Les cent diables. Le moine est furieux d'avoir mis ses reliques en gage : le père du fou vient lui redemander son intercession à un mauvais moment; **3.** Votre; **4.** Cela me chagrine; **5.** Chercher; **6.** Mendier; **7.** Je meurs; **8.** Donc; **9.** Pomme; **10.** Le fou jette la pomme; **11.** Maintenant; **12.** Comme; **13.** Comme il m'arrive malheur! **14.** C'est bien fait! **15.** Couette, couverture de lit; **16.** Celui; **17.** S'accoude. Le fou s'accoude sur le bord de l'estrade (la scène) et boit dans les verres qui y sont déposés; **18.** Formule pour engager à boire; **19.** Le glouton.

GILLOS

Pour l'amour de Dieu, ostons tout,
Car se chieus sos la nous keurt seure [...]
Pren le nape, et tu, le pot tien.

RIKECHE

Foi ke doi Dieu, je le lo[1] bien,
Tout avant ke il nous meskieche[2].
Cascuns de nous prengne[3] se pieche.
Aussi avons nous trop veilliét.

LI MOINES[4]

Ostes[5], vous m'avez bien pilliét,
Et s'en i a chi de plus rikes;
Toutes eures[6], cha[7] mes relikes.
Vés chi doze saus[8] ke je doi.
Vous et vo taverne renoi[9];
Se j'i revieng, diavles m'en porche[10]!

LI OSTES

Je ne vous en fera ja forche.
Tenés vos relikes.

LI MOINES

Or cha!
Honnis soit ki m'i amena!
Je n'ai mie apris tel afaire[11].

GILLOS

Di, Hane, i a il plus ke faire?
Avons nous chi rien ouvlié[12]?

HANE

Nenil, j'ai tout avant osté.
Faisons l'oste ke bel li soit[13].

GILLOS

Ains[14] irons anchois[15], s'on m'en croit,
Baisier le fiertre[16] Nostre Dame
Et che chierge offrir, k'ele flame[17] :
No cose nous en venra mieus[18].

1. Conseille; **2.** Arrive malheur; **3.** Prenne (subjonctif); **4.** Il rentre dans la taverne; **5.** Le moine s'adresse au tavernier; **6.** Toutefois; **7.** Ça; **8.** Sous; **9.** Renie; **10.** Subjonctif présent, 3e personne singulier de *porter ;* **11.** Le moine sort de la taverne; **12.** Oublié; **13.** Faisons en sorte que le tavernier soit enchanté (de nous); **14.** Mais; **15.** Avant, plutôt; **16.** La châsse; **17.** Pour qu'elle soit illuminée; **18.** Nos affaires en iront mieux. Tous les buveurs quittent la taverne.

LI PERES

Or cha, levés vous sus, biaus fieus,
J'ai encore men blé a vendre.

LI DERVÉS

Ke ch'est ? Me volés mener pendre,
. . . . leres[1] prouvés[2] ?

LI PERES

Taisiés. C[3]'or fussiés enterrés,
Sos puans ! Ke Dieus vous honnisse !

. . . .

Nient[4] ne vous vaut, vous en venrés.

LI DERVÉS

Alons, je sui li espousés[5].

LI MOINES

Je ne fach[6] point de men preu[7] chi,
Puis ke les gens en vont ensi,
N'il n'i a mais[8] fors baisseletes[9],
Enfans et garchonaille[10]. Or fai[11],
S'en irons ; a saint Nicolai[12]
Commenche a sonner des cloketes.

EXPLICIT[13] LI JEUS DE LA FUELLIE

1. Cas sujet de *laron*, voleur ; **2.** Convaincu, pris sur le fait ; **3.** Que ; **4.** Rien ; **5.** Le fou et son père s'en vont ; **6.** Indicatif présent, 1re personne singulier de *faire ;* **7.** Profit (Je ne gagne rien à rester ici) ; **8.** Plus ; **9.** Jeunes filles ; **10.** Groupe de garçons ; **11.** Allons ; **12.** A l'église Saint-Nicolas ; **13.** Se termine (mot latin qui indique la fin d'un ouvrage dans un manuscrit).

LA FARCE DE MAISTRE PIERRE PATHELIN

NOTICE

L'auteur de cette œuvre célèbre est toujours inconnu, bien qu'on ait proposé divers noms, Pierre Blanchet, Antoine de La Salle, Villon, et en dernier lieu Guillaume Alecis, moine normand, dont les œuvres poétiques, et notamment *les Feintes du monde*, contiennent plusieurs allusions à *Pathelin ;* cette récente attribution, intéressante à plus d'un égard, n'emporte pas cependant l'adhésion. La langue de la farce est le francien (parler de l'Ile-de-France), mais avec certains traits normands; d'autre part, diverses allusions concernent la Normandie. Quant à la date de composition, on peut la placer entre 1461 et 1469.

Éditions : La Farce de Maistre Pathelin a été éditée par Richard T. Holbrook dans les « Classiques français du moyen âge », Paris, Champion, 1924; — par Louis Dimier, Paris, Delagrave, 1931.

Adaptations : par Fournier (1872); — Gassies des Brulies, Paris, Delagrave, s. d.; — Roger Allard, Paris, Nouvelle Revue française, 1922.

Études particulières : Richard T. Holbrook, *Étude sur Pathelin*, Baltimore, 1917; — Louis Cons, *l'Auteur de la Farce de Pathelin*, Paris, 1926; — Richard T. Holbrook, *Guillaume Alecis et Pathelin*, Berkeley, 1928.

PERSONNAGES

MAITRE PIERRE PATHELIN, avocat.

GUILLAUME JOCEAULME, drapier.

THIBAUT L'AGNELET, berger.

UN JUGE.

GUILLEMETTE, femme de Pathelin.

LA FARCE DE MAISTRE PIERRE PATHELIN

SCÈNE PREMIÈRE. — LE LOGIS DE MAITRE PIERRE PATHELIN.

MAITRE PIERRE *commence.*

Par sainte Marie! Quelque peine, Guillemette, que je prenne à grappiller et à glaner les affaires, nous ne pouvons rien amasser : j'ai pourtant vu un temps où j'avocassais[1].

GUILLEMETTE

Par Notre-Dame, comme on chante en avocasserie[2], c'est mon avis. On ne vous tient plus du tout pour habile comme on faisait. J'ai vu le temps que chacun voulait vous avoir pour gagner son procès; maintenant on vous appelle partout : avocat sous l'orme[3].

PATHELIN

Pourtant, et je ne le dis pas pour me vanter, il n'y a pas, dans tout notre barreau, d'homme plus habile, excepté le maire.

GUILLEMETTE

C'est qu'il a lu le grimoire[4] et longtemps étudié comme clerc[5].

PATHELIN

Voyez-vous une cause que je ne gagne, si je veux m'y mettre? Cependant je n'ai jamais appris les lettres qu'un peu; mais j'ose me vanter que je sais chanter au lutrin avec notre curé comme si j'avais passé à l'école autant d'années que Charles en Espagne[6].

GUILLEMETTE

Qu'est-ce que ça nous rapporte? rien du tout. Nous mourons de faim; nos robes ne sont plus qu'étamine[7]

1. Je faisais mon métier d'avocat, j'avais des clients; **2.** Dans l'ordre des avocats; **3.** Avocat sans cause. Cf. : « attendre sous l'orme » : attendre sans voir venir; **4.** La grammaire, mot que Guillemette semble confondre naïvement avec le grimoire des magiciens; **5.** *Clerc :* écolier, étudiant; **6.** Expression proverbiale : Charlemagne avait guerroyé sept ans contre les Maures en Espagne (cf. *la Chanson de Roland,* v. 2 : [Charlemagne] « Set anz tuz pleins ad estet en Espaigne »); **7.** Étoffe légère.

râpée, et nous ne savons comment nous pourrions nous en procurer. Que nous vaut votre science ?

PATHELIN

Taisez-vous. Par ma conscience, si je veux essayer mon esprit, je saurai bien où en trouver, des robes et des chaperons[1] ! S'il plaît à Dieu, nous nous tirerons d'affaire et nous serons remis d'aplomb sur l'heure. Bah ! Dieu travaille en peu de temps[2] ; et s'il faut que je m'applique à montrer mon adresse, on ne trouvera pas mon égal.

GUILLEMETTE

Par saint Jacques, non, pour tromper. Vous y êtes passé maître.

PATHELIN

Par le Dieu qui me fit naître, vous voulez dire pour plaider loyalement.

GUILLEMETTE

Maître en tromperie, par ma foi : mon opinion est la bonne puisque, sans être grand clerc à vrai dire, vous êtes tenu pour l'une des meilleures têtes qui soient dans toute la paroisse.

PATHELIN

Il n'y a personne qui ait si haute connaissance du métier d'avocat.

GUILLEMETTE

Non, par Dieu, mais de celui de trompeur. Du moins en avez-vous la réputation.

PATHELIN

Elle est à ceux qui vêtus de camelot et de camocas[3] se prétendent avocats et pourtant ne le sont pas. Laissons là ce badinage. Je veux aller à la foire.

GUILLEMETTE

A la foire ?

PATHELIN

Oui, par saint Jean ! A la foire, gentille marchande[4] ; vous déplaît-il que je marchande du drap ou quelque autre

1. *Chaperon :* sorte de capuchon, coiffure ordinaire des hommes et des femmes au moyen âge ; 2. Proverbe qui signifie : la fortune change vite ; 3. *Camelot, camocas :* étoffes de luxe ; 4. Ces derniers mots sont fredonnés par Pathelin.

Maiſtre pierre commence

Saincte marie, guillemette
Pour quelque paine que ie mette
Acabaſſer na ramaſſer
nous ne pouons rien amaſſer
or Viz ie que iauocaſſoye

Phot. Larousse.

GUILLEMETTE ET PATHELIN
(Scène première.)
Édition de Pierre Levet (vers 1489).

objet qui soit bon pour notre ménage? Nous n'avons pas une robe qui vaille.

GUILLEMETTE

Vous n'avez denier ni maille[1] : qu'y ferez-vous?

PATHELIN

Vous ne le savez pas? Belle dame, si vous n'avez du drap largement pour nous deux, alors reniez-moi hardiment. Quelle couleur vous semble plus belle? Un gris vert? la brunette? ou une autre? Il me le faut savoir.

GUILLEMETTE

Telle que vous pourrez l'avoir. Qui emprunte ne choisit pas.

PATHELIN, *en comptant sur ses doigts.*

Pour vous, deux aunes[2] et demie, et pour moi, trois, voire[3] bien quatre, ce sont...

GUILLEMETTE

Vous comptez largement. Qui diable vous les prêtera?

PATHELIN

Que vous importe qui ce sera? On me les prêtera, je vous jure, à rendre au jour du Jugement[4] : car ce ne sera pas plutôt.

GUILLEMETTE

Si c'est ainsi, mon ami, avant que vous l'ayez, quelque sot en sera couvert[5].

PATHELIN

Je l'achèterai ou gris ou vert, et pour un blanchet[6], Guillemette, il me faut trois quartiers[7] de brunette ou une aune.

GUILLEMETTE

Que Dieu m'aide! Vraiment? Allez, n'oubliez pas de boire, si vous trouvez Martin Garant[8].

PATHELIN

Gardez la maison. *(Il sort.)*

GUILLEMETTE

Hé! Dieu! Quel acheteur! Plût à Dieu qu'il n'y vît goutte!

1. *Maille :* menue monnaie; **2.** *L'aune* valait un peu plus d'un mètre; **3.** *Voire :* même; **4.** Au jour du jugement dernier, c'est-à-dire jamais; **5.** C'est-à-dire, nous n'aurons jamais ce drap que vous me promettez; **6.** *Blanchet :* vêtement d'homme; *Blanchet* s'oppose plaisamment à *brunette,* étoffe de couleur foncée; **7.** *Quartier :* quart d'une aune; **8.** Personnage imaginaire : si vous trouvez quelqu'un qui veuille bien vous payer à boire.

Scène II. — LA BOUTIQUE DU DRAPIER.

PATHELIN, *devant la boutique.*

N'est-ce pas là ? Je me le demande. Mais si, par sainte Marie ! Il se mêle de draperie. *(Il entre.)* Dieu soit avec vous !

GUILLAUME JOCEAULME, *drapier.*

Et Dieu vous donne joie !

PATHELIN

Pardieu, j'avais grand désir de vous voir ! Comment se porte la santé ? Allez-vous bien, Guillaume ?

LE DRAPIER

Oui, par Dieu !

PATHELIN

Çà ! la main ! Comment va ?

LE DRAPIER

Bien, vraiment, à votre service. Et vous ?

PATHELIN

Par saint Pierre l'apôtre, comme quelqu'un qui est tout vôtre. Ainsi vous êtes bien aise ?

LE DRAPIER

Mais oui. Pourtant les marchands, vous le savez, ne font pas toujours ce qu'ils veulent.

PATHELIN

Comment va le commerce ? Gagne-t-on assez pour se vêtir et pour manger ?

LE DRAPIER

M'aide Dieu, mon doux maître ! Je ne sais. C'est toujours : hue dia ! en avant[1] !

PATHELIN

Ah ! que votre père, Dieu ait son âme ! était donc un homme savant ! Douce Dame[2] ! C'est absolument comme vous, à mon avis. Quel marchand bon et sage c'était ! Vous lui ressemblez de visage, par Dieu, comme son vrai portrait. Si Dieu fit jamais merci à une créature, qu'il accorde le pardon éternel à son âme !

1. En tout cas la besogne va toujours ; 2. La Sainte Vierge.

LE DRAPIER

Amen, par sa grâce, et qu'il fasse autant de nous quand il lui plaira.

PATHELIN

Par ma foi, il me prédit souvent et longuement le temps qu'on voit aujourd'hui. Je m'en suis souvenu bien des fois. Il était alors tenu pour un brave homme.

LE DRAPIER

Asseyez-vous, beau sire; il est bien temps de vous le dire, voilà comme je suis aimable!

PATHELIN

Je suis bien, par le précieux Corps[1]! Il avait...

LE DRAPIER

Vraiment, vous vous assiérez...

PATHELIN

Volontiers. Ah! vous verrez comme il me dit des choses étonnantes. Mais pardieu! des oreilles, du nez, de la bouche, des yeux, jamais enfant ne ressembla mieux à son père. Et le menton fourchu! Vraiment c'est vous au naturel : et qui dirait à votre mère que vous n'êtes pas le fils de votre père, il aurait l'amour de la contradiction. Sans faute, je ne puis comprendre comment la Nature en ses ouvrages forma deux visages si pareils, avec les mêmes marques. Mais quoi? Si l'on vous avait tous les deux crachés contre le mur, de la même manière et d'un seul coup, la différence ne serait pas plus grande. Et la bonne Laurence, sire, votre chère tante, est-elle morte?

LE DRAPIER

Non pas.

PATHELIN

Que je l'ai connue belle, et grande, et droite, et gracieuse! Par la sainte Mère de Dieu, vous vous ressemblez de corps comme deux statues de neige. En ce pays, il n'y a pas, ce me semble, de famille où l'on se ressemble davantage. Tant plus je vous vois, par Dieu le père... tenez, voilà, c'est tout votre père : vous lui ressemblez mieux que goutte d'eau : je ne le mets pas en doute. Quel vaillant bachelier[2] c'était,

1. Sur le précieux corps de Jésus-Christ; 2. *Bachelier :* jeune homme

le bon prudhomme! Il donnait à crédit ses marchandises à qui les voulait. Dieu lui pardonne! Il riait toujours de si bon cœur avec moi! Plût à Jésus-Christ que le pire de ce monde lui ressemblât! On ne se volerait pas, on ne se pillerait pas l'un l'autre, comme l'on fait... *(Maniant une pièce de drap.)* Que ce drap-ci est bien fait! Qu'il est moelleux, doux et souple!

LE DRAPIER

Je l'ai fait faire tout exprès ainsi des laines de mes bêtes.

PATHELIN

Hé! Hé! Vous savez mener votre maison! Vous ne démentez pas votre naissance : vous ne cessez de travailler!

LE DRAPIER

Que voulez-vous? Il faut se donner du mal pour vivre, et prendre de la peine.

PATHELIN

Celui-ci est-il de laine teinte? Il est résistant comme du cuir de Cordoue.

LE DRAPIER

C'est un très bon drap de Rouen, je vous assure, et bien tissé.

PATHELIN

En bien! vraiment, j'en ai envie; je n'avais pas l'intention d'acheter du drap, par la passion de Notre-Seigneur, en arrivant. J'avais mis de côté quatre-vingts écus[1] pour prendre un titre de rente : mais vous en aurez vingt ou trente, je le vois bien, car la couleur m'en plaît tant que je n'y puis résister.

LE DRAPIER

Comment? des écus? Se peut-il que ceux qui doivent vous céder cette rente acceptent de la monnaie d'argent[2]?

PATHELIN

Oui-da, si je le voulais; je paye à mon gré. Quel drap! Vraiment plus je le vois, plus j'en suis fou! Il faut que j'en aie une cotte[3], bien vite, et ma femme de même.

1. *Ecu :* monnaie d'argent; **2.** Acceptent de n'être pas payés en or; **3.** *Cotte :* vêtement long, tunique.

LE DRAPIER

Certes le drap est cher comme crème[1]! Vous en aurez, si vous voulez; dix ou vingt francs y sont bientôt dépensés.

PATHELIN

Tant pis, coûte que coûte! J'ai encore un magot que je n'ai laissé voir à père ni mère.

LE DRAPIER

Dieu soit loué! Par saint Pierre, je ne demande pas mieux.

PATHELIN

Bref, je suis amoureux de cette pièce; il m'en faut un morceau.

LE DRAPIER

Or bien, il convient d'aviser combien vous en voulez. Et d'abord tout est à votre disposition, autant qu'il y en a dans la pile, n'eussiez-vous pas un sou en poche!

PATHELIN

Je le sais bien, je vous en remercie.

LE DRAPIER

Voulez-vous de ce bleu clair?

PATHELIN

Avant tout, combien me coûtera la première aune? Dieu sera premier payé; c'est justice. Voici un denier; ne faisons rien sans invoquer le nom de Dieu[2].

LE DRAPIER

Par Dieu, vous parlez en brave homme, et vous m'avez fait plaisir. Voulez-vous savoir mon dernier mot?

PATHELIN

Oui.

LE DRAPIER

Chaque aune vous coûtera vingt-quatre sols.

PATHELIN

Jamais! Vingt-quatre sols! Sainte Dame[3]!

1. Proverbe. La crème était un aliment coûteux, réservé aux riches; **2.** *Denier à Dieu :* pièce de monnaie de petite valeur offerte à Dieu en sacrifice au commencement ou à la conclusion d'un marché; quelque œuvre de bienfaisance, quelque ordre religieux ou quelque serviteur profitait de cette légère somme; **3.** La Sainte Vierge.

LE DRAPIER

C'est ce qu'il m'a coûté, par mon âme! Il m'en faut racheter autant, si vous le prenez.

PATHELIN

Non, c'est trop.

LE DRAPIER

Hé! Vous ne savez comme le drap est enchéri. Tout le bétail est mort, cet hiver, par la grande froidure.

PATHELIN

Vingt sols, vingt sols.

LE DRAPIER

Et je vous jure que j'en aurai ce que je dis. Attendez donc à samedi : vous verrez ce qu'il vaut. La toison, dont il y avait habituellement abondance, m'a coûté, à la Madeleine[1], huit blancs[2], par mon serment, de laine que j'avais avant pour quatre.

PATHELIN

Palsambleu! sans plus discuter, puisqu'il en est ainsi, j'achète. Allons donc, mesurez.

LE DRAPIER

Mais je vous demande combien il vous en faut.

PATHELIN

C'est bien facile à savoir. Quelle largeur a-t-il?

LE DRAPIER

De Bruxelles[3].

PATHELIN

Trois aunes pour moi, et pour elle... elle[4] est grande... deux et demie : cela fait six aunes. Eh non! Cela ne fait que... Quel serin je suis!

LE DRAPIER

Il ne s'en faut que d'une demi-aune pour faire juste les six.

PATHELIN

J'en prendrai six tout rond : il me faut aussi le chaperon.

1. A la fête de sainte Madeleine, le 22 juillet; 2. *Blanc :* monnaie d'argent, valant cinq deniers; 3. Largeur inconnue; 4. Guillemette.

LE DRAPIER

Tenez l'étoffe, nous allons mesurer : elles y sont sans faute, une... et deux... et trois... et quatre... et cinq... et six.

PATHELIN

Ventre saint Pierre! Cela tombe juste.

LE DRAPIER

Faut-il mesurer une seconde fois?

PATHELIN

Non, sur la longueur il y a plus ou moins de perte ou de gain dans la marchandise. A combien monte le tout?

LE DRAPIER

Nous allons voir. A vingt-quatre sols l'aune... les six, neuf francs[1].

PATHELIN

Heu!... Pour une, c'est... Vous dites six écus?

LE DRAPIER

Oui, par Dieu.

PATHELIN

Eh bien! sire, voulez-vous me faire crédit jusqu'à ce que vous veniez chez moi? Me faire crédit, non, mais vous les prendrez à la maison, en or ou en monnaie[2].

LE DRAPIER

Notre-Dame! cela me fait un grand détour d'aller par là.

PATHELIN

Hé! par monseigneur saint Gilles, vous n'avez ouvert la bouche que pour dire parole d'Évangile[3]! C'est très bien dit : vous feriez un détour! C'est cela! Vous ne voudriez jamais trouver une occasion de venir boire chez moi. Eh bien! Vous y boirez cette fois.

LE DRAPIER

Par saint Jacques, je ne fais que boire[4]! J'irai; mais il est mauvais de vendre à crédit, vous le savez bien, quand on étrenne[5].

1. Le franc est à seize sous; 2. En or ou en monnaie, à votre choix; 3. Proverbe : dire la vérité; 4. Avec ses clients sans doute, pour faire marcher son commerce; 5. A la première vente.

PATHELIN

Ne suffit-il pas que je vous étrenne avec des écus d'or[1], au lieu de monnaie? Et, par Dieu, vous mangerez de l'oie que ma femme est en train de rôtir.

LE DRAPIER

Vraiment cet homme me rend fou! Allez devant, allez. J'irai donc et je vous porterai le drap.

PATHELIN

Pas du tout. Que me pèsera-t-il sous le bras? Rien.

LE DRAPIER

Ne vous inquiétez pas : il vaut mieux, par politesse, que je le porte.

PATHELIN

Que sainte Madeleine me donne mauvaise fête, si vous en prenez la peine! C'est très bien dit : sous le bras, cela me fera une belle bosse!... Ah! Cela va très bien! On aura bien bu et bien ri chez moi, avant que vous n'en sortiez.

LE DRAPIER

Je vous prie de me donner mon argent dès que j'y serai.

PATHELIN

Oui, pardieu, mais pas avant que vous n'ayez très bien pris votre repas. Je ne voudrais pas avoir eu sur moi de quoi payer : au moins viendrez-vous goûter quel vin je bois. Votre feu père, en passant, savant bien appeler. « Compère! » ou « Que dis-tu? » ou « Que fais-tu? » Mais vous autres riches, vous ne prisez un fétu les pauvres gens!

LE DRAPIER

Eh, palsambleu! nous sommes plus pauvres...

PATHELIN

Ouais! Adieu, adieu. Rendez-vous tantôt au dit lieu. Et nous boirons bien, je m'en vante.

LE DRAPIER

Entendu. Allez devant et préparez mon or!

PATHELIN, *dans la rue.*

Son or! Et quoi donc? Son or! Diable! Je n'y ai jamais

1. Les *écus d'or* étaient préférables à la monnaie dont la valeur était modifiée, c'est-à-dire diminuée.

Phot. Larousse.

PATHELIN ET LE DRAPIER

(Scène II.)

Édition Pierre Levet (vers 1489).

manqué! Non! Son or! Puisse-t-il être pendu! Hé! Il ne m'a pas vendu à mon idée, mais à la sienne; il sera payé à la mienne. Il lui faut de l'or? On le lui fabrique! Plût à Dieu qu'il ne cessât de courir jusqu'à paiement complet! Saint Jean! Il ferait plus de chemin qu'il n'y en a jusqu'à Pampelune. *(Il rentre chez lui.)*

LE DRAPIER, *dans sa boutique.*

Ils ne verront soleil ni lune de toute l'année[1], à moins qu'on ne me les vole, les écus qu'il va me payer. Il n'est si bon expert qui ne trouve plus fort vendeur : ce trompeur-là est bien béjaune d'avoir pris à vingt-quatre sols l'aune un drap qui n'en vaut pas vingt.

SCÈNE III. — LE LOGIS DE MAITRE PIERRE PATHELIN.

PATHELIN

En ai-je[2]?

GUILLEMETTE

De quoi?

PATHELIN

Qu'est devenue votre vieille cotte hardie[3]?

GUILLEMETTE

Il est bien besoin d'en parler! Qu'en voulez-vous faire?

PATHELIN

Rien, rien. En ai-je? Je le disais bien[4]. Est-ce bien ce drap qu'il fallait?

GUILLEMETTE

Sainte Dame! Par le péril de mon âme, un client vous l'a donné en garantie? Dieu, d'où nous vient cette aubaine?... Hélas! Hélas! Qui le paiera?

PATHELIN

Vous demandez qui ce sera? Par saint Jean, il est déjà payé. Le marchand qui me l'a vendu n'est pas fou, ma femme. Qu'il soit pendu par le cou s'il n'est blanc[5] comme

1. Ils seront bien cachés; **2.** Pathelin sous-entend : du drap; **3.** *Cotte hardie :* robe longue, sans doute, et capable de braver toutes les intempéries; **4.** Il découvre le drap; **5.** Saigné à blanc.

un sac de plâtre! Ce méchant vilain chiffonnier en est ceint sur le cul[1].

GUILLEMETTE

Combien coûte-t-il donc?

PATHELIN

Je n'en dois rien; il est payé, ne vous inquiétez pas.

GUILLEMETTE

Vous n'aviez denier ni maille : en quelle monnaie est-il payé?

PATHELIN

Eh, palsambleu! si, j'en avais, dame, j'avais un parisis[2].

GUILLEMETTE

C'est bien travaillé! Un beau serment ou une signature y ont pourvu : c'est ainsi que vous vous l'êtes procuré, et quand l'échéance arrivera, on viendra, on nous saisira, tout ce que nous avons nous sera enlevé.

PATHELIN

Palsembleu! il n'a coûté qu'un denier pour tout ce qu'il y en a.

GUILLEMETTE

Benedicite Maria! Qu'un denier! Ce n'est pas possible.

PATHELIN

Je veux bien y perdre un œil, si le marchand en a eu ou en aura davantage : il aura beau chanter.

GUILLEMETTE

Et qui est-ce?

PATHELIN

C'est un certain Guillaume, dont Joceaulme est le surnom[3], puisque vous voulez le savoir.

GUILLEMETTE

Mais la manière de l'avoir pour un denier? Par quel tour?

PATHELIN

Ce fut pour le denier à Dieu. Et encore si j'avais dit :

1. Expression qui signifie sans doute : il est bien roulé; **2.** *Parisis :* sou de Paris, pièce de faible valeur; **3.** Le nom de famille.

« La main sur le pot[1] ! » par cette seule parole, mon denier me serait demeuré[2]. Enfin, est-ce bien travaillé ? Dieu et lui partageront ce denier-là entre eux, si bon leur semble, car c'est tout ce qu'ils en auront : ils auront beau chanter. Cris ni protestations n'y feront rien.

GUILLEMETTE

Comment a-t-il consenti à l'avancer, lui qui est si dur à la détente ?

PATHELIN

Par sainte Marie la belle ! Je l'ai si bien comblé d'éloges qu'il me l'a presque donné. Je lui disais que feu son père était si vaillant ! « Ah ! lui dis-je, frère, que vous êtes de bonne naissance ! votre famille est la plus digne d'éloges de tout le voisinage. » Mais, Dieu m'en soit témoin, il est fils d'une canaille, le vilain le plus ladre qui soit, je crois, dans ce royaume. « Ah ! dis-je, mon ami Guillaume, que vous ressemblez bien, de visage et de toute votre personne, à votre bon père ! » Dieu sait comme j'échafaudais mon piège et j'entrelardais en même temps mes paroles de propos sur sa draperie. « Et puis, dis-je, sainte Marie, avec quelle bonté, avec quelle courtoisie il donnait à crédit ses marchandises ! » Et j'ajoutais : « C'était vous tout craché ! » Pourtant on aurait arraché les dents du vilain marsouin, son feu père, et de ce babouin de fils avant de leur faire prêter ceci ou d'en tirer une bonne parole. Mais, bref, j'ai tant bataillé et parlé qu'il m'en a avancé six aunes.

GUILLEMETTE

Vraiment, à ne rendre jamais ?

PATHELIN

Vous devez l'entendre ainsi. Rendre ? On lui rendra le diable.

GUILLEMETTE

Vous m'avez fait souvenir de la fable[3] du corbeau, qui était perché sur une croix de cinq à six toises de haut et tenait un fromage au bec : vint un renard qui vit ce fromage et se demanda : « Comment l'aurais-je ? » Il se plaça sous

1. Expression qui équivaut à : *Tope là !* Le geste de la main posée sur le pot de vin servait de garantie au marché ; **2.** Le marchand se serait contenté de ma promesse ; **3.** Cette fable rendue célèbre par La Fontaine figure déjà dans *le Roman de Renart* et dans les *Isopets,* recueils de fables ainsi appelés au moyen âge du nom d'Ésope.

le corbeau. « Ah! fit-il, quel beau corps tu as et que ton chant est mélodieux! » Le corbeau, dans sa sottise, entendant ainsi vanter son chant, ouvrit le bec pour chanter, et son fromage tombe à terre; maître renard vous le saisit à belles dents et l'emporte. Ainsi est-il, je le parie, de ce drap : vous l'avez pris par vos flatteries et attrapé en usant avec lui de belles paroles, comme le renard fit du fromage. Vous le lui avez soustrait par vos grimaces.

PATHELIN

Il doit venir manger de l'oie; mais voici ce qu'il nous faudra faire. Je suis certain qu'il viendra crier pour avoir son argent promptement : j'ai imaginé un bon tour. Je n'ai qu'à me mettre au lit comme si j'étais malade, et, quand il viendra, vous direz : « Ah! parlez bas! » et vous gémirez en prenant une mine déconfite. « Hélas! direz-vous, il est malade depuis deux mois ou six semaines. » Et s'il vous dit : « C'est une bourde, il vient de me quitter à l'instant! — Hélas! ferez-vous, ce n'est pas le moment de se moquer. » Ensuite laissez-moi le mystifier, car il n'aura pas autre chose de moi.

GUILLEMETTE

Par mon âme, je jouerai très bien mon rôle. Mais si vous retombez dans un mauvais pas et que la justice s'en mêle encore, je crains que cela ne vous coûte moitié plus que l'autre fois.

PATHELIN

Paix donc : je sais ce que je fais. Il faut faire ce que je dis.

GUILLEMETTE

Pour Dieu, souvenez-vous du samedi[1] où l'on vous mit au pilori : vous savez que tout le monde cria contre vous, à cause de votre fourberie.

PATHELIN

Cessez donc ce bavardage. Il va venir : nous ne faisons pas attention à l'heure. Il faut que ce drap nous reste. Je vais me coucher.

GUILLEMETTE

Allez donc.

1. Le jour de la foire, pour que le condamné fût exposé aux reproches et aux injures d'un plus grand nombre de gens.

PATHELIN

Ne riez pas!

GUILLEMETTE

Pour rien au monde! Je pleurerai à chaudes larmes.

PATHELIN

Il nous faut être tous deux bien assurés, afin qu'il ne s'aperçoive de rien.

SCÈNE IV. — DANS LA RUE.

LE DRAPIER, *sortant de sa boutique.*

Je crois, par saint Mathurin, qu'il est temps de boire avant de m'en aller. Hé non! Je dois boire et manger de l'oie chez maître Pierre Pathelin. Je dois aussi y recevoir de l'argent. J'attraperai un bon morceau, à tout le moins, sans rien payer. J'y vais, je ne peux plus rien vendre. *(Il frappe à la porte de Pathelin.)* Ho! Maître Pierre!

GUILLEMETTE, *paraissant sur le seuil.*

Hélas! sire, pour Dieu, si vous avez quelque chose à dire, parlez plus bas.

LE DRAPIER

Dieu vous garde, dame.

GUILLEMETTE

Ho! plus bas!

LE DRAPIER

Qu'y a-t-il?

GUILLEMETTE

Je vous en prie, par mon âme...

LE DRAPIER

Où est-il?

GUILLEMETTE

Hélas! Où peut-il être?

LE DRAPIER

Qui?

GUILLEMETTE

Ah! c'est mal dit, mon maître : où est-il? Dieu, par sa grâce, le sache! Il garde la place où il est, le pauvre martyr, depuis onze semaines, sans en bouger...

LE DRAPIER

De qui?...

GUILLEMETTE

Pardonnez-moi : je n'ose parler haut, je crois qu'il repose. Il est un peu assoupi. Hélas! il est assommé, le pauvre homme...

LE DRAPIER

Qui?

GUILLEMETTE

Maître Pierre.

LE DRAPIER

Quoi? N'est-il pas venu chercher six aunes de drap tout à l'heure?

GUILLEMETTE

Qui? Lui?

LE DRAPIER

Il en vient à l'instant, il n'y a pas la moitié d'un quart d'heure. Payez-moi. Oui-dà, je perds mon temps. Çà, sans plus lanterner, mon argent!

GUILLEMETTE

Hé! sans plaisanterie! Ce n'est pas le moment de s'amuser.

LE DRAPIER

Çà, mon argent! Êtes-vous folle? Il me faut neuf francs.

GUILLEMETTE

Ah! Guillaume! Il ne faut point user de feinte ni lancer ces brocards ici. Allez raconter ces sornettes à quelque sot de qui vous voudrez vous amuser!

LE DRAPIER

Que je renie Dieu si je n'ai neuf francs!

GUILLEMETTE

Hélas! sire, tout le monde n'a pas envie de rire et de plaisanter comme vous.

LE DRAPIER

Cessez, je vous prie, vos balivernes : de grâce, faites-moi venir maître Pierre.

GUILLEMETTE

La malchance sur vous! Est-ce donc le moment?

LE DRAPIER

Ne suis-je pas chez maître Pierre Pathelin?

GUILLEMETTE

Si. Que le mal saint Mathurin[1] vous prenne à la tête, mais non pas la mienne. Parlez bas.

LE DRAPIER

Quand le diable y serait, n'oserais-je le demander?

GUILLEMETTE

Dieu me protège! Parlez bas, si vous voulez qu'il ne s'éveille!

LE DRAPIER

Comment bas? A l'oreille, au fonds du puits ou à la cave?

GUILLEMETTE

Dieu! Quel bavard! Au fait, c'est toujours votre manière.

LE DRAPIER

Le diable y soit si je le fais exprès. Si vous voulez que je parle bas, répondez-moi. Je n'ai pas appris à discuter. La vérité, c'est que maître Pierre a pris six aunes de drap aujourd'hui.

GUILLEMETTE

Et qu'est ceci? Est-ce de circonstance? Quand le diable y serait, voyons! que voulez-vous dire : prendre? Ah! sire, puisse-t-on pendre celui qui ment! Il est en tel état, le pauvre homme, qu'il n'a pas quitté le lit depuis onze semaines! Nous jouez-vous la comédie? Est-ce raisonnable maintenant? Vous sortirez de ma maison. Par les angoisses de Dieu, ne suis-je assez malheureuse?

LE DRAPIER

Vous me disiez tant de parler bas, sainte Vierge bénie! et vous criez!

GUILLEMETTE

C'est vous, par mon âme, qui ne faites que disputer.

LE DRAPIER

Dites, afin que je m'en aille : mon argent!

1. *Le mal de saint Mathurin :* la folie.

GUILLEMETTE

Parlez-vous bas, oui ou non?

LE DRAPIER

Mais c'est vous qui allez l'éveiller; vous parlez quatre fois plus haut que moi, palsambleu! Je vous prie de me payer.

GUILLEMETTE

Et qu'est ceci? Êtes-vous ivre ou fou, par Dieu notre Père?

LE DRAPIER

Ivre? Par saint Pierre, voilà une belle demande!

GUILLEMETTE

Hélas! Plus bas!

LE DRAPIER

Je vous demande, par saint Georges! pour six aunes de drap, dame.

GUILLEMETTE

Rêveries! A qui donc l'avez-vous donné?

LE DRAPIER

A lui-même.

GUILLEMETTE

Il est bien en point d'avoir du drap! Hélas! il ne bouge. Il n'a nul besoin d'une robe : il ne s'habillera plus que de blanc[1] et ne partira d'où il est que les pieds devant.

LE DRAPIER

C'est donc depuis le lever du soleil, car je lui ai parlé sans faute.

GUILLEMETTE

Que vous avez la voix haute! Parlez plus bas, par charité!

LE DRAPIER

C'est vous, je le jure, c'est vous-même, jour de Dieu! Palsambleu! Ce n'est pas bien difficile! Que l'on me paye, je m'en irai! Par Dieu, toutes les fois que j'ai fait un prêt, je n'en ai pas eu autre chose.

PATHELIN, *de l'intérieur.*

Guillemette! Un peu d'eau rose[2]! Haussez-moi, relevez

1. Allusion à la couleur blanche du suaire; **2.** Parfum employé au moyen âge comme remède, notamment pour faire revenir à elles les personnes évanouies.

les coussins derrière moi. Allons! A qui est-ce que je parle? L'aiguière[1]! A boire! Frottez-moi la plante des pieds.

LE DRAPIER

Je l'entends là.

GUILLEMETTE

Oui.

PATHELIN, *même jeu.*

Ah! méchante! Viens ici! T'avais-je dit d'ouvrir ces fenêtres? Viens me couvrir. Chasse ces gens noirs[2]! Marmara, carimari, carimara[3]! Emmenez-les! Emmenez-les!

SCÈNE V. — LE LOGIS DE MAITRE PIERRE PATHELIN.

GUILLEMETTE, *venant du dehors.*

Qu'est-ce? Comme vous vous démenez! Êtes-vous hors de votre sens?

PATHELIN[4]

Tu ne vois pas ce que je sens : voilà un moine noir qui vole. Attrape-le, passe-lui une étole[5]. Au chat! Au chat! Comme il monte!

GUILLEMETTE

Eh! Qu'est ceci? N'avez-vous pas honte? Par Dieu, c'est trop s'agiter.

PATHELIN

Ces médecins m'ont tué avec les drogues qu'ils m'ont fait boire. Et pourtant il faut les croire, on est entre leurs mains comme de la cire.

GUILLEMETTE, *au drapier qui était resté sur le pas de la porte.*

Hélas! Venez voir, beau sire : comme il souffre!

LE DRAPIER

Est-il vraiment tombé malade à l'instant en revenant de la foire?

GUILLEMETTE

De la foire?

1. *L'aiguière :* le pot à eau; 2. Pathelin fait semblant d'avoir des visions; 3. Formule magique capable de chasser les « gens noirs », les démons; Pathelin *délire* avec une maîtrise incomparable; 4. Pathelin continue à décrire son prétendu cauchemar; 5. *Etole :* ornement sacerdotal; on le passait au cou du possédé, pour l'exorciser.

LE DRAPIER

Oui, par saint Jean, je pense qu'il y a été! Du drap que je vous ai avancé, il me faut l'argent, maître Pierre.

PATHELIN

Ah! maître Jean[1], j'ai fait deux petites crottes, plus dures que pierre, noires, rondes comme pelotes. Prendrai-je un autre clystère?

LE DRAPIER

Et que sais-je? Qu'en ai-je à faire? Il me faut neuf francs, ou six écus.

PATHELIN

Ces trois morceaux tout noirs, appelez-vous cela des pilules? Ils m'ont abîmé les mâchoires. Pour Dieu, ne m'en faites plus prendre, maître Jean : ils m'ont fait tout rendre. Ah! Il n'y a rien de plus amer!

LE DRAPIER

Mais non, par l'âme de mon père, mes neuf francs ne sont point rendus[2].

GUILLEMETTE

On devrait pendre par le cou des gens aussi assommants. Allez-vous-en, de par les diables, puisque ce ne peut être de par Dieu!

LE DRAPIER

Par le Dieu qui me fit naître, je ne cesserai pas tant que j'aie mon drap ou mes neuf francs.

PATHELIN

Et mon urine[3], ne vous dit-elle pas que je vais mourir? Hélas! pour Dieu, tout plutôt que de passer le pas[4]!

GUILLEMETTE

Allez-vous-en! N'est-ce pas mal agir de lui casser la tête?

LE DRAPIER

Damedieu[5] en ait male[6] fée, six aunes de drap maintenant, dites, croyez-vous qu'il me soit agréable de les perdre?

1. Pathelin feint de prendre le drapier pour un médecin; **2.** Jeu de mots sur *rendre*, vomir, et *rendre*, restituer; **3.** L'interprétation des urines jouait un grand rôle dans la médecine d'autrefois; **4.** Trépasser, mourir; **5.** Le seigneur Dieu; **5.** Mauvaise.

PATHELIN

Si vous pouviez éclaircir mes selles, maître Jean : elles sont si dures que je ne sais comment j'endure d'y aller.

LE DRAPIER

Il me faut neuf francs, rondement, ou bien, par saint Pierre de Rome...

GUILLEMETTE

Hélas! Que vous tourmentez cet homme! Comment pouvez-vous être si méchant? Vous voyez bien qu'il vous prend pour le médecin. Hélas! le pauvre chrétien! Il a assez de malechance! Onze semaines sans relâche qu'il est resté là, le pauvre homme!

LE DRAPIER

Palsambleu! Je ne sais comment cet accident lui est arrivé, car il est venu aujourd'hui et nous avons fait marché ensemble. Il me le semble du moins ou je ne sais plus que penser.

GUILLEMETTE

Par Notre-Dame, mon cher monsieur, vous n'avez pas bonne mémoire. Sans faute, si vous m'en croyez, vous irez un peu vous reposer. Bien des gens pourraient gloser[1] que vous venez céans pour moi. Sortez. Les médecins viendront ici tout à l'heure.

LE DRAPIER

Je ne me soucie point que l'on y pense à mal, car moi je n'y pense pas... Eh! maugrebleu! en suis-je à ce point[2]? Tête Dieu! je croyais encore... N'avez-vous point d'oie?

GUILLEMETTE

La belle demande! Ah! sire, ce n'est pas une nourriture pour malades. Mangez vos oies sans venir nous jouer des farces! Par ma foi, vous êtes trop sans-gêne.

LE DRAPIER

Je vous prie de ne pas le prendre mal, car je croyais fermement... Et je le crois encore, par le saint Sacrement! Oui-da, je vais bien savoir[3]! *(Sur le pas de la porte.)* Je sais bien que j'en dois avoir six aunes tout d'une pièce.

1. *Gloser* : rapporter malignement ; 2. Puis-je me tromper à tel point? 3. Il va vérifier dans sa boutique.

Mais cette femme me brouille complètement l'esprit. Il les a eues, assurément... Il ne les a pas... Ha! Cela ne peut s'accorder... J'ai vu la mort qui vient le saisir... A moins qu'il ne joue la comédie! Il les a! Il les a prises, c'est un fait, et il les a mises sous son bras, par sainte Marie la belle!... Non, il ne les a pas. Je me demande si je ne rêve pas. Je ne sache point que je donne mes draps, endormi ni éveillé. A personne, pas même à mon meilleur ami, je ne les aurais données à crédit... Palsambleu, il les a eues... Par la mort, il ne les a pas, je le sais, il ne les a pas. Où donner de la tête?... Il les a, par le sang de Notre Dame. Puisse-t-il m'arriver malheur de corps et d'âme, si l'on peut dire qui a le meilleur ou le pire, d'eux ou de moi! Je n'y vois goutte! *(Il s'éloigne.)*

PATHELIN

S'est-il en allé?

GUILLEMETTE

Paix! j'écoute. Il dit tout seul je ne sais quoi. Il s'en va en grommelant si fort qu'on pourrait croire qu'il rêve.

PATHELIN

Puis-je me lever? Il est arrivé à point.

GUILLEMETTE

Je ne sais s'il ne va pas revenir[1]. Non, non, ne bougez pas encore. Tout serait perdu s'il vous trouvait levé.

PATHELIN

Saint Georges! Il a été bien arrangé, lui qui est si méfiant : ce tour est fait pour lui encore mieux qu'un crucifix pour une église[2].

GUILLEMETTE

Certes, le vilain glouton! jamais lard n'alla mieux aux pois[3]. Et puis quoi? Il ne faisait jamais l'aumône le dimanche[4]!

PATHELIN

Pour Dieu, cesse de rire : s'il revenait, cela ferait du vilain. Je crois fort qu'il reviendra.

1. Pathelin veut se lever; **2.** Proverbe; **3.** Proverbe : jamais ruse ne tomba plus à propos; **4.** Guillemette raille la ladrerie du drapier. Elle rit.

GUILLEMETTE

Par mon serment, se retienne de rire qui voudra, mais je ne pourrais.

LE DRAPIER, *seul, dans sa boutique.*

Par le saint soleil qui rayonne, je retournerai, qui qu'en grogne[1], chez cet avocat d'eau douce[2]. Eh! Dieu! Comme il sait retirer les rentes[3] que ses parents ou ses parentes auraient vendues! Par saint Pierre, il a mon drap, le filou! Je le lui ai donné icimême.

GUILLEMETTE, *chez elle.*

Quand je me souviens de la grimace qu'il faisait en vous regardant, je ris! Il était si acharné à réclamer.

PATHELIN

Paix, la rieuse! Je renie bieu[4], s'il n'est en route : si l'on vous entendait par hasard, autant vaudrait nous enfuir, il est si rébarbatif!

LE DRAPIER, *monologuant dans la rue.*

Cet avocat à tête d'ivrogne, à trois leçons et à trois psaumes[5], prend-il les gens pour des guillaumes[6]? Il mérite d'être pendu autant qu'un hérétique[7]. Il a mon drap ou je renie bieu, et m'a roulé. *(Frappant à la porte de Pathelin.)* Holà! où vous êtes-vous sauvée?

GUILLEMETTE

Par mon serment, il m'a entendue! Il doit être fou de rage!

PATHELIN

Je ferai semblant de délirer. Allez ouvrir.

GUILLEMETTE, *ouvrant.*

Comme vous criez!

LE DRAPIER

Et, par Dieu, vous, vous riez! Çà, mon argent!

1. *Qui qu'en grogne :* même si cela ne plaît pas à tout le monde; 2. Cet avocat sans valeur, de peu d'importance (cf. l'expression ironique : « un marin d'eau douce »); 3. *Retirer (retraire) une rente :* rembourser un capital dont on devait payer la rente; 4. *Bieu :* Dieu, dont le nom est maquillé par scrupule dans les formules de serment (cf. de même *palsambleu :* par le sang de Dieu; *morbleu :* mort de Dieu); 5. Proverbe : de peu d'importance, charlatan; 6. *Guillaumes :* dupes. Le drapier semble oublier que Guillaume est son nom de baptême; 7. *Comme seroit ung blanc prenable,* porte le texte : le sens de l'expression est très douteux.

GUILLEMETTE

Sainte Marie! De quoi croyez-vous que je rie? Il n'y a personne si mal disposée à s'amuser. Il s'en va[1]. Jamais vous n'avez entendu telle tempête et telle frénésie. Il est encore dans le délire : il rêve, il chante, il mêle et il barbouille cent langages[2]. Il ne vivra pas une demi-heure. Par cette âme, je ris[3] et pleure tout ensemble!

LE DRAPIER

Je ne sais de quoi vous riez ni de quoi vous pleurez. Pour le dire d'un mot, il faut que je sois payé.

GUILLEMETTE

Quoi? Êtes-vous fou? Recommencez-vous cette plaisanterie?

LE DRAPIER

Je n'ai l'habitude qu'on me paie mon drap de telles paroles. Voulez-vous me faire prendre des vessies pour des lanternes?

PATHELIN

Vite, debout! La reine des Guitares[4]! Sur-le-champ qu'on l'introduise! Je sais qu'elle est accouchée de vingt-quatre guitareaux[5], enfants de l'abbé d'Yverneaux[6] : il me faut être son compère[7].

GUILLEMETTE

Hélas! Pensez à Dieu le Père, mon ami, et non pas à des guitares.

LE DRAPIER

Eh! Quels bailleurs de balivernes sont ces gens-là! Allons, vite, que je sois payé, en or ou en monnaie, de mon drap que vous avez pris!

GUILLEMETTE

Hé! bon Dieu, ne vous suffit-il pas de vous être trompé une fois?

LE DRAPIER

Savez-vous ce qu'il en est, la belle? Que Dieu m'aide, je ne sais quand je me suis trompé. Mais quoi! Le drap sera

1. Il agonise; **2.** Guillemette propose ainsi à Pathelin la ruse des jargons qu'il va exploiter tout à l'heure avec tant d'habileté; **3.** A cause des divagations de son mari; **4.** Invention burlesque de Pathelin; **5.** Petits d'une guitare, diminutif dû à la fantaisie de Pathelin; **6.** *Yverneaux :* abbaye qui était située près de Brie-Comte-Robert (aujourd'hui en Seine-et-Marne); **7.** *Compère :* non de la marraine, mais du père (l'abbé d'Yverneaux), ou de la mère (la reine des Guitares), au baptême des guitareaux.

rendu ou bien vous serez pendus. Quel tort vous fais-je, en venant céans réclamer mon bien? Oui, quel tort, par saint Pierre de Rome?

GUILLEMETTE

Hélas! Que vous tourmentez cet homme! Je vois bien, certes, à votre visage que vous n'êtes pas dans votre bon sens. Par la pauvre pécheresse que je suis, si j'avais de l'aide, je vous lierais : vous êtes complètement fou.

LE DRAPIER

Hélas! J'enrage de n'avoir mon argent!

GUILLEMETTE

Ah! Quelle sottise! Signez-vous! Benedicite! Faites le signe de la croix[1]!

LE DRAPIER

Je renie bieu, si de l'année je vends du drap à crédit. Quel malade!

PATHELIN[2]

(Limousin.)

Mère de Dieu la coronade!
Par fye, y men vuol anar,
Or renague biou! oultre la mar,
Ventre de Diou! z'en dis gigone!
Castuy carrible et res ne done.
Ne carrilaine! fay ta none!
Que de l'argent il ne me sone[3]!
Avez entendu[4], beau cousin[5]?

GUILLEMETTE

Il eust ung oncle lymosin
Qui fut frere de sa belle ante[6] :
C'est ce qui le fait, je me vante[7],
Gergonner[8] en limosinois.

1. Elle fait semblant de croire que le drapier traverse un accès de folie et elle l'exorcise; 2. Pathelin va s'amuser à parler en jargons divers. Il commence par le limousin (ou provençal). Le sens des paroles dites en limousin est plutôt incertain; on peut traduire : Mère de Dieu la couronnée, par ma foi, je veux m'en aller, jarnibieu (?), outre mer. Ventre de Dieu *(Z'en dis gigone* n'offre pas de sens), à ce terrible (?) et rien ne donne (?). Ne carillonne, fais ton dodo (?). Cet artifice comique des « divers langaiges » qui n'est pas nouveau dans *Pathelin* a été employé aussi par Rabelais (cf. ch. VI et IX du second livre de *Pantagruel*); 3. Que de l'argent il ne me sonne mot. Ce vers est dit en bon français et son sens n'est que trop clair pour le drapier; mais Pathelin ne se trahit pas, puisqu'il « délire »; ce virtuose de la ruse se permet de jouer avec le feu; 4. Compris; 5. Il fait semblant de prendre le drapier pour un parent; 6. Altération enfantine de tante; 7. Je suppose; 8. Jargonner.

LE DRAPPIER

Dea[1]! il s'en vint en tapinois
Atout mon drap soubz son esselle.

PATHELIN

(Picard.)
Venez ens, doulce damiselle...
Et que veult ceste crapaudaille[2]?
Alez en arriere, merdaille!...
Ça tost, ie veuil[3] devenir prestre.
Or ça, que le dyable y puist[4] estre
En chelle vielle prestrerie[5].
Et fault il que le prestre rie
Quant il deust[6] chanter sa messe?

GUILLEMETTE

Helas! Helas! L'heure s'apresse[7]
Qu'il fault son dernier sacrement.

LE DRAPPIER

Mais comment parle il proprement
Picart? Dont[8] vient tel cocardie[9]?

GUILLEMETTE

Sa mere fust de Picardie :
Pour ce le parle[10] il maintenant.

PATHELIN

Dont viens tu, caresme prenant[11]?
(Flamand[12].)
Vuacarme lief godeman
Etlbelic beqigluhe golan
Henrien, Henrien conselapen
Ych salgneb ne de que maignen
Grile grile scohehonden
Zilop zilop en mon que bouden
Disticlien unen desen versen
Mat groet festal ou truit den hersen
En vuactevuile tomme trie

1. *Dea :* vraiment. Forme raccourcie et atténuée de *Deable* (Diable); **2.** Ce tas de crapauds. Pathelin fait mine de repousser des gens présents; **3.** Je veux; **4.** Puisse; **5.** En ce vieux nid de prêtres (*Chelle :* celle, est une forme picarde); **6.** Devrait; **7.** S'approche; **8.** D'où; **9.** Folie, bêtise; **10.** L'*e* de *parle* est élidé; **11.** Mardi-gras, masque de carnaval; **12.** On n'a pas pu déchiffrer ce passage écrit en un flamand estropié.

Cha a dringuer ie vous en prie
Quoy act semigot yane
Et qu'on m'y mette ung peu d'ëaue[1]
Vuste vuille, pour le frimas.
Faictes venir sire Thomas[2]
Tantost[3], qui me confessera

LE DRAPPIER

Qu'est cecy? Il ne cessera
Huy[4] de parler divers langaiges?
Au moins qu'il me baillast[5] ung gage
Ou mon argent, je m'en allasse[6].

GUILLEMETTE

Par les angoisses Dieu[7]! Moy lasse[8]!
Vous estes ung bien divers[9] homme!
Que voulez-vous? Je ne scay comme[10]
Vous estes si fort obstiné?

PATHELIN

(Normand.)

Or cha[11]! Renouart au tiné[12]!...
Les playes[13] Dieu! Qu'est-ce qui s'attaque
A men cul? Est-ce ou une vaque[14],
Une mousque[15], ou ung escarbot?
Hé dea! J'é[16] le mau Saint Garbot[17]!
Suis des foyreux de Baieux?
Jehan du Quemin[18] sera joyeulx :
Mais qu'il fache que je le sée[19].
Bée! par saint Miquiel, je berée[20]
Voulentiers a luy une fés[21].

LE DRAPPIER

Comment peult il porter le fés[22]
De tant parler? Ha! Il s'affolle[23]!

1. Dissyllabique; **2.** Le curé; **3.** Tout de suite; **4.** Aujourd'hui; **5.** Si seulement il me donnait...; **6.** Subjonctif à valeur de conditionnel; **7.** Par les angoisses (la passion) de Jésus-Christ! **8.** Malheureuse. Expliquez l'origine de l'interjection *hélas!* **9.** Bizarre; **10.** Comment; **11.** Çà; **12.** *Renouart au tinel* (massue), personnage de chanson de geste; **13.** Monosyllabique; **14.** Vache; **15.** Mouche; **16.** J'ai; **17.** Le mal de saint Garbot, évêque de Bayeux : la colique; **18.** *Jehan du Quemin* (chemin) : personnage réel sans doute, mais qu'on ne sait trop identifier; **19.** Toutes les éditions portent *sache*. Nous proposons de lire la forme normande : *fache :* fasse. « Mais qu'il fasse que je le sois (sée), que je sois joyeux »; **20.** Je boirais; **21.** Une fois, un coup; **22.** Le faix, le fardeau; **23.** Pathelin s'agite.

GUILLEMETTE

Celluy qui l'apprinst[1] a l'escole
Estoit Normant : ainsi advient
Qu'en la fin il luy en souvient.
Il s'en va[2] !

LE DRAPPIER

Ha ! sainte Marie !
Vecy[3] la plus grant resverie[4]
Ou je fusse onques mes[5] bouté[6].
Jamais ne me fusse doubté
Qu'il n'eust huy esté a la foire.

GUILLEMETTE

Vous le cuidiez[7] ?

LE DRAPPIER

Saint Jacques ! Voire[8] !
Mais j'aperçoys bien le contraire.

PATHELIN

Sont il[9] ung asne que j'os[10] braire ?
Alas[11] ! Alas ! Cousin, a moy !
Ilz le[12] seront en grant esmoy,
Le jour quant[13] je ne te verré.
Il convient que je te herré[14],
Car tu m'as fait grand trichery :
Ton fait, il sont[15] tout trompery.
(Breton[16].)
Haoul dandaoul en'ravezeie
Corfha en euf.

GUILLEMETTE, *à Pathelin.*

Dieu vous ayst[17] !

PATHELIN

Huis oz bez ou dronc nos badou
Digaut an tan en hol madou
Empedif dich guicebnuan
Quez que vient ob dre douch ama

1. L'instruisit ; **2.** Pathelin râle ; **3.** Voici ; **4.** La chose la plus étrange, la plus grande illusion ; **5.** Jamais ; **6.** Mis, tombé ; **7.** *Cuider :* croire ; **8.** Vraiment, certes ; **9.** *Sont-ils,* pour : est-ce. Pathelin barbouille la syntaxe dans son délire ; **10.** J'entends ; **11.** Hélas ! ; **12.** *Le* annonce l'attribut *en grant esmoy* (émoi) ; **13.** *Le jour quant :* le jour que ; **14.** Haïrai (= haïsse) ; **15.** Comme plus haut : *sont il ung asne ;* **16.** Pathelin poursuit son délire en un breton qu'on n'a pas réussi à comprendre ; **17.** Dieu vous aide !

Men ez cahet hoz bouzelou
Eny obet grande canou
Maz rehet crux dans hol con
Se ol oz merveil grant nacon
Aluzen archet epysy
Har cals amour ha courteisy.

LE DRAPPIER

Helas! Pour Dieu, entendez y[1]!
Il s'en va[2]! Comment il guerguouile[3]!
Mais que dyable est ce qu'il barbouille[4]?
Saincte Dame! comme il barbote[5]!
Par le corps Dieu! il barbelote[6]
Ses motz tant qu'on n'y entent[7] rien.
Il ne parle pas crestien[8]
Ne nul langage qui apere[9].

GUILLEMETTE

Ce fut la mere de son pere
Qui fut attraicte[10] de Bretaigne.
Il se meurt! Cecy nous enseigne
Qu'il fault ses derniers sacremens.

PATHELIN

(Lorrain.)
Hé! par saint Gigon, tu te mens[11]...
Tu ne vaulx mie une vielz nate[12];
Va, sanglante[13] bote savate[14],
Va, coquin, va, sanglant paillart[15]!
Tu me[16] refais trop le gaillart[17].
Par la mort bieu[18], çà, vien t'en boire
Et baille[19] moy stan[20] grain de poire[21],
Car vrayment je le mangera[22],
Et, par saint George! je bura[23]
A ty[24]! Que veulx tu que je die[25]?
Dy, viens tu nient[26] de Picardie?
Jaques nient se sont ebobis[27]?

1. *Entendez y :* écoutez cela; **2.** Il agonise; **3.** Il gargouille comme l'eau qui tombe d'une gargouille, d'une gouttière; **4.** Baragouine; **5.** Marmotte; **6.** *Barbeloter :* faire entendre le cri du canard, ici, bredouiller; **7.** Comprend; **8.** *Crestien :* compte pour trois syllabes. Il ne parle pas un langage de chrétien, une langue qu'on puisse comprendre : proverbe; **9.** Qui soit clair; **10.** Extraits, originaire; **11.** *Se mentir :* mentir; **12.** Un vieux tapis; **13.** Terme d'injure; **14.** *Bote savate :* vieux soulier éculé; **15.** Débauché; **16.** Pronom dit explétif; **17.** Tu fais trop le malin; **18.** *Bieu* pour Dieu; **19.** Donne; **20.** *Stan :* mot inconnu; **21.** Un pépin de poire; **22.** Mangerai; **23.** Boirai; **24.** A toi; **25.** Dise; **26.** Point, ne viens-tu point; **27.** Ce vers n'offre pas de sens.

(Latin.)
Et bona dies sit vobis,
Magister amantissime,
Pater reverendissime.
Quomodo brulis ? Quæ nova ?
Parisius non sunt ova.
Quid petit ille mercator ?
Dixit nobis quod trufator,
Ille qui in lecto jacet,
Vult ei dare, si placet,
De oca ad comedendum :
Si sit bona ad edendum,
Pete tibi sine mora[1].

GUILLEMETTE

Par mon serment, il se mourra
Tout parlant[2]. Comment il escume !
Veez vous pas comme il estime
Haultement la divinité[3] ?
El[4] s'en va, son humanité[5].
Or demourray[6] je povre et lasse[7] !

LE DRAPPIER

Il fust[8] bon que je m'en allasse
Avant qu'il eust passé le pas[9].
Je doubte[10] qu'il ne voulsist[11] pas
Vous dire[12] a son trespassement
Devant moy, si priveement[13],
Aucuns[14] secretz par aventure[15].
Pardonnez moy, car je vous jure
Que je cuidoye[16], par ceste ame[17],
Qu'il eust eu mon drap. Adieu, dame.
Pour Dieu, qu'il me soit pardonné.

GUILLEMETTE

Le benoist[18] jour vous soit donné !

1. Ce passage peut se traduire ainsi : Recevez le bonjour, maître très aimé, père vénérable. Comment brûles-tu ? qu'y a-t-il de nouveau ? il n'y a pas d'œufs à Paris (Parisius = Parisiis). Que demande ce marchand-là ? Il nous a dit que le trompeur, celui qui est couché au lit, veut lui donner, s'il lui plaît, de l'oie à manger. Si elle est bonne à manger, demandes-en sans tarder ; **2.** En parlant ; **3.** Sans doute parce que Pathelin vient de parler en latin ; **4.** *El :* Elle ; **5.** Sa vie ; **6.** Maintenant je demeurerai ; **7.** Malheureuse ; **8.** Subjonctif à valeur de conditionnel ; **9.** Avant qu'il soit trépassé ; **10.** Je crains ; **11.** Voulût ; **12.** Il s'adresse à Guillemette ; **13.** *Si priveement :* mais bien en particulier. *Priveement* compte pour quatre syllabes ; **14.** Quelques ; **15.** Peut-être ; **16.** *Cuidoye* (croyais), compte pour trois syllabes ; **17.** Par mon âme ; **18.** *Benoist :* béni.

Si soit a la povre dolente[1]!

LE DRAPPIER, *à part.*

Par saincte Marie[2] la gente!
Je me tiens plus esbaubely
Qu'oncques[3]. Le dyable, en lieu de ly[4],
A prins mon drap pour moy tenter.
Benedicite[5]! Atenter
Ne puist[6] il ja[7] a ma personne;
Et puisqu'ainsi va, je le[8] donne,
Pour Dieu, a quiconques l'a prins.

PATHELIN

Avant[9]! Vous ay je bien apprins?
Or[10] s'en va il, le beau Guillaume!
Dieux! qu'il a dessoubz[11] son heaume[12]
De menues[13] conclusions[14]!
Moult luy viendra d'avisions[15]
Par nuyt, quant il sera couché.

GUILLEMETTE

Comment il a esté mouché[16]!
N'ay je pas bien fait mon devoir?

PATHELIN

Par le corps bieu[17], a dire voir[18],
Vous y avez très bien ouvré[19].
Au moins avons nous recouvré
Assés drap pour faire des robbes[20].

SCÈNE VI. — LA BOUTIQUE DU DRAPIER.

LE DRAPIER

Eh! quoi! on m'abreuve de mensonges[21]! Chacun m'emporte mon avoir et prend ce qu'il peut en avoir. Suis-je donc le roi des malchanceux? Même les simples bergers me filoutent : jusqu'au mien, à qui j'ai toujours fait du bien.

1. Qu'il en soit de même pour la pauvre malheureuse que je suis; **2.** *Marie* compte pour trois syllabes; **3.** Je me regarde comme plus ébaubi que jamais; **4.** Lui; **5.** Mot d'exorcisme; **6.** 3e personne singulier du subjonctif présent de *pouvoir;* **7.** Jamais; **8.** Le drap; **9.** Allons! Il saute à bas du lit; **10.** Maintenant; **11.** Sous. L'ancienne langue ne distingue pas nettement l'adverbe de la préposition; **12.** *Heaume :* casque, bonnet; compte pour deux syllabes; **13.** *Menues*, compte pour trois syllabes; **14.** Qu'il a dans la tête de pauvres raisonnements; **15.** Il lui viendra beaucoup de visions; **16.** Roulé; **17.** *Bieu* pour Dieu; **18.** Vrai; **19.** Travaillé; **20.** Vêtements; **21.** Il vient d'apprendre que ses brebis ont été volées comme son drap.

Mais il ne se sera pas moqué de moi impunément : il viendra crier merci, par la Benoîte couronnée[1] !

THIBAUT AGNELET, *berger*.

Dieu bénisse votre journée ! Bonsoir, mon doux seigneur.

LE DRAPIER

Ah ! te voilà, sale coquin ! Quel bon valet ! mais à quoi faire ?

LE BERGER

Sauf votre respect, mon bon seigneur, je ne sais quel homme[2] aux habits rayés, tout égaré, et qui tenait un fouet sans corde, m'a dit... Mais, au vrai, je ne sais pas bien ce que ce peut être. Il m'a parlé de vous, mon maître, et de je ne sais quelle assignation. Quant à moi, par sainte Marie, je n'y comprends rien du tout. Il m'a brouillé pêle-mêle brebis et relevée[3], et m'a fait un grand tintamarre à propos de vous, mon maître.

LE DRAPIER

Si je ne te fais traîner tout à l'heure devant le juge, je prie Dieu que le déluge et la tempête me tombent dessus. Tu m'assommeras plus de bête, par ma foi, sans qu'il t'en souvienne. Quoi qu'il arrive, tu me paieras les six aunes... l'abattage de mes bêtes, veux-je dire, et le tort que tu m'as fait depuis dix ans.

LE BERGER

Ne croyez pas ceux qui disent du mal des autres, mon bon seigneur, car par mon âme...

LE DRAPIER

Et par la Dame[4] que l'on implore ! tu les rendras samedi prochain, mes six aunes de drap... non... je veux dire ce que tu as pris sur mes bêtes.

LE BERGER

Quel drap ? Ah ! monseigneur, il y a, je crois, quelqu'autre chose qui vous a mis en colère. Par saint Leu[5], je n'ose rien dire, mon maître, quand je vous regarde.

LE DRAPIER

Laisse-moi tranquille. Va-t'en et sois exact à l'assignation, si bon te semble.

1. La Sainte Vierge ; **2.** Il s'agit d'un *sergent* ou d'un huissier, porteur de l'assignation ; **3.** *Relevée :* après-midi, terme de Palais que le berger ne comprend pas ; **4.** La Sainte Vierge ; **5.** Saint Loup, patron des bergers.

LE BERGER

Monseigneur, mettons-nous d'accord : pour Dieu, que je ne plaide point!

LE DRAPIER

Va, ton affaire est claire. Va-t'en, je ne ferai d'accord, pardieu, ni de transaction qu'autant que le juge en décidera. Comment donc! Chacun me trompera désormais, si je n'y pourvois.

LE BERGER

A Dieu, sire, qu'il vous donne joie! Il fait donc que je me défende.

SCÈNE VII

LE LOGIS DE MAITRE PIERRE PATHELIN

LE BERGER, *frappant à la porte.*

Y a-t-il quelqu'un là dedans?

PATHELIN

Qu'on me pende par le cou, si ce n'est lui[1] qui revient!

GUILLEMETTE

Eh! non, par saint Georges, ce serait bien le pis!

LE BERGER, *entrant.*

Dieu soit avec vous! Dieu vous garde!

PATHELIN

Dieu te garde, l'ami; que te faut-il?

LE BERGER

On me condamne par défaut, monseigneur, si je ne me présente à relevée[2] à l'assignation. S'il vous plaît, venez-y, mon bon maître, et défendez ma cause, car je n'y connais rien. Je vous paierai très bien, quoique je sois mal vêtu.

PATHELIN

Approche, et parle. Qu'es-tu, demandeur[3] ou défenseur?

LE BERGER

J'ai affaire à un malin, (comprenez-vous bien, mon bon maître?) dont j'ai longtemps mené paître les brebis. Et

1. Le drapier; 2. Cf. p. 80, note 3; 3. *Demandeur* : plaignant.

je les gardais, par mon serment. Je voyais qu'il me payait petitement... Dirais-je tout?

PATHELIN

Oui, bien sûr : on doit tout dire à son conseil[1].

LE BERGER

C'est la vérité vraie, sire, que je les ai assommées, si bien que plusieurs se sont pâmées maintes fois et sont tombées mortes, si fortes et saines qu'elles fussent. Alors, pour qu'il ne puisse me blâmer, je lui disais qu'elles mouraient de la clavelée[2]. « Ah! faisait-il, ne les laisse pas avec les autres, jette-les. — Volontiers », disais-je. Mais l'ordre s'exécutait d'une autre manière, car moi qui connaissais bien la maladie, par saint Jean, je les mangeais. Que voulez-vous que je vous dise? J'ai tant continué ce manège, j'en ai tant assommé et tué, qu'il s'en est aperçu. Quand il s'est vu trompé, que Dieu m'aide! il m'a fait épier. Car on les entend crier bien haut, comprenez-vous, quand on le fait. J'ai donc été pris sur le fait; je ne puis le nier. Aussi voudrais-je vous demander (pour l'argent, j'en ai assez à moi) qu'à nous deux nous le poussions dans un piège. Je sais bien qu'il a bonne cause, mais, si vous voulez, vous trouverez bien moyen de la rendre mauvaise.

PATHELIN

Par ta foi, seras-tu satisfait? Que donneras-tu si je renverse le droit de ta partie adverse et si l'on te renvoie absous?

LE BERGER

Je ne vous paierai pas en sols, mais avec de beaux écus d'or à la couronne[3].

PATHELIN

Tu auras donc ta cause bonne, fût-elle deux fois pire! Plus la cause adverse est forte, plus je la rends mauvaise, si je veux y appliquer mon talent. Tu entendras les cliquettes de mon moulin[4], quand il aura exposé sa demande. Approche et écoute. Par le précieux sang[5], tu as assez de malice pour bien comprendre la ruse. Comment t'appelle-t-on?

LE BERGER

Thibaut L'Agnelet, par saint Maur!

1. Avocat; **2.** *Clavelée* : maladie contagieuse des bêtes à laine, sorte de variole; **3.** Écus frappés avec un coin portant l'empreinte d'une couronne : ils avaient plus de valeur que les autres; **4.** Tu m'entendras jouer de la langue; **5.** Celui de Dieu.

PATHELIN

Eh bien! L'Agnelet, tu as chapardé à ton maître maint agneau de lait?

LE BERGER

Par mon serment, j'en ai peut-être bien mangé plus de trente en trois ans.

PATHELIN

Ce sont tes étrennes! Je crois que je vais la lui bailler belle! Penses-tu qu'il puisse trouver des témoins au pied levé pour faire la preuve de ces faits? C'est le point capital du procès.

LE BERGER

Prouvez, sire? Par sainte Marie! Par tous les saints du paradis! Il en trouvera dix pour un qui déposeront contre moi!

PATHELIN

Voilà qui est bien mauvais pour ta cause... Écoute mon plan : je ferai semblant de n'être pas de tes connaissances, de ne t'avoir jamais vu.

LE BERGER

Eh! mon Dieu, ne faites pas cela!

PATHELIN

Ne t'inquiète pas. Voici ce qu'il faudra faire. Si tu parles, on te mettra, petit à petit, en contradiction, et dans de tels cas, les aveux sont si préjudiciables et font tant de tort, que c'est le diable! Voici donc le remède. Tantôt, quand on t'appellera pour comparaître devant le tribunal, tu ne répondras rien que « Bée! » quoi que l'on te dise. Et s'il arrive qu'on t'injurie, en disant « Hé! sot puant! Dieu vous maudisse, truand! Vous moquez-vous de la justice? » réponds : « Bée! — Ah! ferai-je, c'est un niais : il croit parler à ses bêtes. » Et quand ils devraient s'en briser la tête, ne prononce pas un autre mot, garde-t'en bien.

LE BERGER

L'idée me plaît. Oui, je m'en garderai et je ferai bien exactement ce que vous dites, je vous le promets fermement.

PATHELIN

Prends garde, tiens-toi bien assuré. A moi-même, quoi que je te dise ou te propose, ne réponds pas autrement.

LE BERGER

Moi! Non, non, je le jure. Dites hardiment que je suis fou, si je dis aujourd'hui un mot, à vous ni à personne, quoi que l'on me fasse entendre, excepté ce « Bée! » que vous m'avez appris.

PATHELIN

Par saint Jean, ton adversaire sera victime de la singerie; mais aussi tâche que j'aie à me louer du paiement, quand ce sera fait.

LE BERGER

Monseigneur, si je ne vous paye à votre guise, ne me croyez jamais. Mais je vous prie, mettez tous vos soins à mon affaire.

PATHELIN

Par Notre-Dame de Boulogne[1], je pense que le juge a ouvert l'audience, car il siège toujours à six heures[2], ou environ. Ne viens qu'après moi : nous ne ferons pas chemin ensemble.

LE BERGER

Vous avez raison : on verrait que vous êtes mon avocat.

PATHELIN, *sortant.*

Notre-Dame! Gare à toi, si tu ne payes pas largement!

LE BERGER

Dieu! A votre guise, vraiment, monseigneur, n'en doutez pas!

PATHELIN, *dans la rue.*

Bah! s'il ne pleut des écus, je me contenterai qu'il en goutte! Je pêcherai toujours quelque chose... J'aurai de lui, si le tout réussit, un écu ou deux, pour ma peine.

SCÈNE VIII. — LE TRIBUNAL.

PATHELIN, *au juge.*

Sire, Dieu vous donne bonne chance et tout ce que votre cœur désire!

1. Boulogne-sur-Mer, lieu de pèlerinage; 2. Six heures, à partir du lever du soleil, donc midi; cf. *sieste*, somme qu'on fait vers le milieu de la journée, à la sixième (espagnol *siesta*, latin *sexta*) heure.

LE JUGE

Soyez le bienvenu, sire. Couvrez-vous donc. Prenez place ici.

PATHELIN

Bah! Je suis bien, sauf votre grâce. Je suis plus à mon aise ici.

LE JUGE

S'il y a quelque affaire, qu'on se dépêche, afin que je lève la séance.

LE DRAPIER

Mon avocat vient; il achève ce qu'il faisait, peu de chose, monseigneur, et, s'il vous plaisait, je vous serais obligé de l'attendre.

LE JUGE

Allons donc! J'ai d'autres affaires à entendre. Si votre partie est présente, dites votre fait sans plus de retard. N'êtes-vous pas demandeur?

LE DRAPIER

Oui.

LE JUGE

Où est le défenseur? Est-il ici présent en personne?

LE DRAPIER

Oui. Voyez-le, là, qui ne sonne mot; mais Dieu sait qu'il n'en pense pas moins.

LE JUGE

Puisque vous êtes présents tous les deux, faites votre demande.

LE DRAPIER

Voici donc ce que je lui réclame. Monseigneur, c'est la vérité, que, pour Dieu et par charité, je l'ai élevé depuis son enfance. Quand je le vis assez fort pour aller aux champs, en un mot, j'en fis mon berger et le mis à garder mes bêtes; mais aussi vrai que vous êtes là assis, monseigneur le juge, il a fait un tel ravage de mes brebis et de mes moutons que sans faute...

LE JUGE

Écoutons donc : n'était-il pas à vos gages?

PATHELIN

Eh oui! car s'il s'était amusé à les garder sans salaire...

LE DRAPIER, *reconnaissant Pathelin.*

Que je renie Dieu si ce n'est pas vous ! Pas d'erreur !

LE JUGE, *à Pathelin qui cherche à dissimuler son visage.*

Pourquoi tenez-vous la main levée ? Avez-vous mal aux dents, maître Pierre ?

PATHELIN

Oui, elles me font une telle guerre, que jamais je n'ai senti une pareille rage. Je n'ose lever la tête. Pour Dieu, continuez les débats.

LE JUGE, *au drapier.*

Allons ! Achevez de plaider. Vite, concluez clairement.

LE DRAPIER

C'est lui et non pas un autre assurément. Par la croix où Dieu s'étendit, c'est à vous que j'ai vendu six aunes de drap, maître Pierre.

LE JUGE, *à Pathelin.*

Pourquoi parle-t-il de drap ?

PATHELIN

Il s'égare. Il pense venir à son propos et il ne peut y arriver parce qu'il n'a pas bien appris sa leçon.

LE DRAPIER

Que je sois pendu si c'est un autre qui l'a pris, mon drap, par la sanglante gorge[1] !

PATHELIN

Où ce méchant homme va-t-il chercher ses inventions pour grossir son accusation ? Il veut dire — est-il assez obstiné ? — que son berger avait vendu la laine — je l'ai bien compris — dont le drap de ma robe fut faite, comme il dit qu'il le vole et qu'il lui a soustrait la laine de ses brebis.

LE DRAPIER

Dieu m'envoie mauvaise semaine[2], si vous ne l'avez !

LE JUGE

Paix ! Par le diable ! Vous bafouillez ! Ne pouvez-vous revenir à votre propos sans ennuyer la Cour de telles sornettes ?

1. Juron auquel le qualificatif donne plus de violence encore. 2. Que Dieu m'envoie du malheur.

PATHELIN, *riant.*

Je souffre et il faut que je rie. Il est déjà si embarrassé qu'il ne sait où il a laissé son discours. Il faut que nous le remettions en route.

LE JUGE

Allons! Revenons à ces moutons[1]. Qu'en advint-il?

LE DRAPIER

Il prit six aunes de neuf francs.

LE JUGE

Sommes-nous des nigauds ou des fous? Où croyez-vous être?

PATHELIN

Palsambleu; il vous prend pour une bête! Et pourtant il est bon homme à juger sur la mine. Mais je propose d'interroger un peu la partie adverse.

LE JUGE

Vous avez raison : il le fréquente, il ne peut pas ne pas le connaître. Viens ici. Parle.

LE BERGER

Bée!

LE JUGE

Voici bien une autre affaire. Quel est ce bée? Suis-je chèvre? Parle-moi.

LE BERGER

Bée!

LE JUGE

Dieu te donne sanglante[2] fièvre! Te moques-tu?

PATHELIN

Croyez qu'il est fou ou abruti, ou bien qu'il croit être avec ses bêtes?

LE DRAPIER, *à Pathelin.*

Je renie bieu[3] si ce n'est vous, et non un autre, qui avez eu mon drap. *(Au juge.)* Ah! vous ne savez, monseigneur, par quelle malice...

LE JUGE

Taisez-vous. Êtes-vous idiot? Laissez en paix ce fait accessoire et venons au principal.

1. Cette phrase est devenue proverbe; 2. Cf. p. 86, note 1; 3. Pour *Dieu.*

LE DRAPIER

Sans doute, monseigneur, mais l'aventure me met en colère : toutefois, par ma foi, ma bouche n'en dira plus un mot aujourd'hui. Une autre fois, il en ira[1] comme il pourra. Il me faut avaler la pilule. Or, sur mon propos, je disais comment j'avais donné six aunes... je veux dire mes brebis. Je vous en prie, sire, pardonnez-moi. Ce gentil maître[2]... mon berger, quand il devait être aux champs... Il me dit que j'aurais six écus d'or, quand je viendrais chez lui... Non, je veux dire qu'il y a trois ans mon berger entra en service : il promit de garder loyalement mes brebis et de ne m'y faire dommage ni vilenie. Et puis maintenant il nie tout, drap et argent. Ah! maître Pierre, vraiment... Ce ribaud[3] que voici me dérobait la laine de mes bêtes et les faisait mourir et périr en pleine santé en les assommant et en les frappant d'un gros bâton sur le crâne. Quand il eut mon drap sous son aisselle, il gagna bien vite la rue et me dit de venir chercher six écus d'or chez lui.

LE JUGE

Il n'y a ni rime ni raison dans tout ce que vous rabâchez. Qu'est ceci ? Vous entrelardez d'une chose, puis d'une autre. Somme toute, palsambleu, je n'y vois goutte! Il brouille tout avec son drap et bavarde ensuite à propos de brebis, à tort et à travers. Il ne dit rien qui se tienne.

PATHELIN

Je suis sûr qu'il retient son salaire au pauvre berger.

LE DRAPIER

Pardieu, vous feriez bien de vous taire. Mon drap! Aussi vrai que la messe, je sais mieux où le bât me blesse que vous ou un autre : tête Dieu! vous l'avez!

LE JUGE

Qu'est-ce qu'il a ?

LE DRAPIER

Rien, monseigneur. Par mon serment, c'est le plus grand trompeur... Holà! Je m'en tairai, si je puis, et n'en parlerai plus désormais, quoi qu'il advienne.

1. Il en ira du drap volé; 2. Ironique; 3. *Ribaud* : vagabond, terme d'injure.

LE JUGE

Eh! non! mais tâchez de vous en souvenir. Et maintenant concluez clairement.

PATHELIN

Le berger ne peut répondre sans un conseil[1] aux faits qu'on allègue, et il n'ose ou ne sait demander une aide. S'il vous plaisait d'ordonner que je l'assiste, je le ferais volontiers.

LE JUGE

L'assister? Je crois que vous n'en aurez que de l'ennui. C'est peu de profit.

PATHELIN

Pour moi, je vous jure qu'aussi je n'en veux rien avoir : que ce soit pour Dieu[2]! Je vais donc voir ce que le pauvret voudra me dire, et s'il saura me mettre en mesure de répondre aux imputations de son adversaire. Il aurait du mal à se tirer de là, si quelqu'un ne venait à son secours. Approche, mon ami. Si on pouvait trouver... Tu comprends?

LE BERGER

Bée!

PATHELIN

Que signifie bée? Hé! là! Par le saint sang que Dieu versa, es-tu fou? Explique-moi ton affaire.

LE BERGER

Bée!

PATHELIN

Quoi! bée? Entends-tu tes brebis crier? Comprends bien que c'est dans ton intérêt.

LE BERGER

Bée!

PATHELIN

Eh! dis oui ou non. *(Bas.)* C'est bien fait. *(Haut.)* Allons! Dis! te décideras-tu?

LE BERGER, *doucement.*

Bée!

PATHELIN

Plus haut ou tu le paieras cher, je crois.

LE BERGER

Bée!

1. Avocat; 2. Pour l'amour de Dieu.

PATHELIN

Il est encore plus fou celui qui invente un procès à un fou aussi authentique. Ah! sire, renvoyez-le à ses brebis : il est fou de naissance.

LE DRAPIER

Il est fou? Par saint Sauveur d'Asturie[1], il est plus sage que vous!

PATHELIN

Envoyez-le garder ses bêtes, sans appel. Maudit soit qui cite en justice de tels fous, ou les fait citer!

LE DRAPIER

Et le renverra-t-on sans m'avoir entendu?

LE JUGE

Oui, par Dieu, puisqu'il est fou. Pourquoi pas?

LE DRAPIER

Hé! là! sire, au moins laissez-moi parler avant et déposer mes conclusions. Ce ne sont ni mensonges ni moqueries que je vous dis.

LE JUGE

C'est pur casse-tête que de plaider avec des fous ou des folles. Écoutez, si vous continuez à parler, je vais lever l'audience.

LE DRAPIER

S'en iront-ils[2] sans que la cause soit renvoyée?

LE JUGE

Et quoi donc?

PATHELIN

Renvoyer l'affaire? Vous n'avez jamais vu plus fou, dans ses actions et ses réponses. Et l'autre ne vaut pas une once de plus. Tous deux sont fous et sans cervelle : par sainte Marie la belle, à eux deux ils n'en ont pas un carat[3].

LE DRAPIER

Vous l'avez emporté par tromperie, mon drap, maître Pierre, sans payer. Par la chair bieu[4], pauvre de moi! ce n'est pas d'un honnête homme.

1. Pèlerinage inconnu; **2.** Le drapier pense encore à Pathelin et à son drap autant qu'au berger et à ses moutons; **3.** Poids encore plus léger qu'une once; **4.** Pour *Dieu*.

PATHELIN

Je renie saint Pierre de Rome, s'il n'est complètement fou ou en train de le devenir.

LE DRAPIER

Je vous reconnais à la voix, à l'habit et au visage. Je ne suis pas fou, je suis assez sage pour reconnaître celui qui me fait du bien. Je vous conterai toute l'histoire, monseigneur, sur ma conscience.

PATHELIN

Hé! sire, imposez-lui silence. *(Au drapier.)* N'avez-vous pas honte de tant discuter avec ce berger pour trois ou quatre vieilles « brebiailles » ou moutons qui ne valent pas deux boutons. Il en fait plus longues kyrielles...

LE DRAPIER

Quels moutons? C'est une ritournelle! C'est à vous-même que je parle, et vous me le[1] rendrez, par le Dieu qui a voulu naître à Noël!

LE JUGE

Voyez-vous! Suis-je dans mon bon sens? Il ne cessera pas de crier aujourd'hui.

LE DRAPIER

Je lui demande...

PATHELIN

Faites-le taire. Par Dieu, c'est trop bavardé. Mettons qu'il en ait assommé six ou sept, ou même une douzaine et qu'il les ait mangés par malheur, vous en êtes bien malade! Vous les avez gagnés, et davantage, sur le temps qu'il vous les a gardés.

LE DRAPIER

Voyez, sire, voyez : je lui parle de draperie et il répond de bergerie. Six aunes de drap! Où sont-elles? que vous avez emportées sous le bras! Ne songez-vous point à me les rendre?

PATHELIN

Ah! sire, le ferez-vous pendre[2] pour six ou sept bêtes à laine?... Au moins reprenez votre calme. Ne montrez pas tant de rigueur au pauvre berger douloureux qui est aussi nu qu'un ver.

1. Son drap; 2. Un voleur pouvait être condamné à la pendaison.

LE DRAPIER

C'est habilement changer de sujet! C'est assurément le diable qui me fit vendre du drap à un homme de tant d'esprit. *(Au juge.)* Hé! monseigneur, je lui demande...

LE JUGE

Je le rends quitte de votre plainte et vous défends de le poursuivre. C'est un bel honneur de plaider contre un fou. *(Au berger.)* Va-t'en à tes bêtes.

LE BERGER

Bée!

LE JUGE, *au drapier.*

Vous montrez bien ce que vous valez, sire, par le sang de Notre Dame!

LE DRAPIER

Hé! monseigneur, sur mon âme, je lui veux...

PATHELIN

Ne pourrait-il se taire!

LE DRAPIER

C'est à vous que j'ai affaire. Vous m'avez indignement trompé et vous avez emporté furtivement mon drap avec vos belles paroles.

PATHELIN

J'en appelle à ma conscience[1]! Vous l'entendez, monseigneur?

LE DRAPIER

Que Dieu m'aide! Vous êtes le plus grand trompeur... Monseigneur, il faut que je vous dise...

LE JUGE

Vous jouez une vraie farce à vous deux : ce n'est que du vacarme. *(Il se lève.)* Avec l'aide de Dieu, il faut que je m'en aille. *(Au berger.)* Va-t'en, mon ami, et ne reviens jamais, même si un sergent t'assigne. La Cour t'absout, comprends-tu bien?

PATHELIN

Dis : grand merci.

LE BERGER

Bée!

1. Formule de dénégation.

LE JUGE

Est-ce que je parle assez clairement? Va-t'en! Ne t'inquiète de rien; n'importe!

LE DRAPIER

Est-il juste qu'il s'en aille ainsi?

LE JUGE

Hé! j'ai affaire ailleurs. Vous êtes par trop mauvais plaisants : vous ne me ferez plus rester, je m'en vais... Voulez-vous venir souper avec moi, maître Pierre?

PATHELIN, *portant la main à la mâchoire.*

Je ne puis. *(Le juge sort.)*

LE DRAPIER, *à Pathelin.*

Ah! tu es un fier voleur! Dis, ne serai-je point payé?

PATHELIN

De quoi? Êtes-vous fou? Mais qui pensez-vous que je sois? Sur ma vie, je me demandais pour qui vous me prenez?

LE DRAPIER

Hé! là!

PATHELIN

Beau sire, écoutez donc. Je vous dirai, sans plus attendre, pour qui vous me prenez. N'est-ce point pour Écervelé[1]? Mais voyez[2], il n'a pas la tête pelée comme moi[3].

LE DRAPIER

Voulez-vous me faire passer pour une bête? C'est vous en propre personne, vous-même : votre voix vous trahit et je ne crois pas qu'il en soit autrement.

PATHELIN

Moi-même? Non, vraiment. Renoncez à cette idée. Ne serait-ce pas Jean de Noyon[4]? Sa tournure ressemble à la mienne.

LE DRAPIER

Hé! diable, il n'a pas votre morne tête d'ivrogne. Ne vous ai-je pas laissé malade, à l'instant, dans votre maison?

1. Nom propre; on ne sait pas quel personnage est ainsi désigné; 2. Il lève son chaperon; 3. Cette calvitie dont Pathelin tire ici un bon parti fait penser à celle des *sots,* acteurs des *soties ;* 4. Inconnu.

PATHELIN

Ah! que voilà un bon argument! Malade! Et quelle maladie? Confessez votre sottise. Elle est assez claire maintenant.

LE DRAPIER

C'est vous, ou je renie saint Pierre! Vous et non un autre, je sais bien que c'est vrai!

PATHELIN

N'en croyez rien, car, certes, ce n'est pas moi. Je ne vous ai jamais pris une aune ni la moitié d'une, je n'ai pas cette réputation.

LE DRAPIER

Ah! je vais voir en votre maison, palsambleu, si vous y êtes. Nous ne nous casserons plus la tête ici, si je vous trouve là-bas.

PATHELIN

Par Notre-Dame, c'est cela : de cette manière vous le saurez bien! *(Le drapier sort.)* Dis donc, Agnelet!

LE BERGER

Bée!

PATHELIN

Viens ici, viens! Ai-je bien mené ton affaire?

LE BERGER

Bée!

PATHELIN

Ton adversaire s'est retiré, ne dis plus Bée, ce n'est plus la peine. Lui ai-je donné un beau croc-en-jambe? Ne t'ai-je pas bien conseillé?

LE BERGER

Bée!

PATHELIN

Hé! on ne t'entendra pas, parle hardiment, ne t'inquiète pas!

LE BERGER

Bée!

PATHELIN

Il est temps que je m'en aille! Paye-moi.

LE BERGER

Bée!

PATHELIN

A vrai dire, tu as très bien fait ton devoir et tu as gardé bonne contenance. Ce qui l'a fait tomber dans le piège, c'est que tu t'es retenu de rire.

LE BERGER

Bée !

PATHELIN

Quoi, Bée ? Il ne faut plus le dire. Paye-moi bien et gentiment.

LE BERGER

Bée !

PATHELIN

Quoi, Bée ? Parle raisonnablement. Paye-moi, et je m'en irai.

LE BERGER

Bée !

PATHELIN

Sais-tu ce que je vais te dire ? Je te prie, sans plus bêler, de penser à me payer. Je n'ai que faire de ta « béerie ». Paye vite !

LE BERGER

Bée !

PATHELIN

Te moques-tu ? Est-ce tout ce que tu feras ? Par mon serment, tu me paieras, entends-tu, à moins de t'envoler. Çà, de l'argent !

LE BERGER

Bée !

PATHELIN

Tu plaisantes ?... Comment ? N'en aurai-je autre chose ?

LE BERGER

Bée !

PATHELIN

Tu fais le rimeur en prose[1]. A qui vends-tu tes coquilles[2] ? Sais-tu à qui tu t'adresses ? Ne me fatigue plus de ton Bée et paye-moi.

LE BERGER

Bée !

1. Tu fais l'extravagant, ou le malin ; 2. *Coquilles :* choses sans valeur. *Vendre ses coquilles :* expression proverbiale pour *ruser*, *chercher à tromper*.

PATHELIN

N'en aurai-je pas d'autre monnaie? A qui crois-tu te jouer? Et je devais tant me louer de toi! Fais donc que je m'en loue!

LE BERGER

Bée!

PATHELIN

Me fais-tu manger de l'oie[1]? Maugrébieu[2]! Ai-je tant vécu pour qu'un berger, un mouton habillé, un vilain paillard se fiche de moi?

LE BERGER

Bée!

PATHELIN

N'en tirerai-je pas une autre parole? Si tu le fais pour t'amuser, dis-le : ne me fais plus discuter. Viens-t'en souper chez moi.

LE BERGER

Bée!

PATHELIN

Par saint Jean, tu as raison, les oisons mènent paître les oies[3]. Voilà! Je croyais être le maître des trompeurs d'ici et d'ailleurs, des aigrefins et des bailleurs de paroles qui remettent le paiement au jour du Jugement... et un simple berger me surpasse[4]!... Par saint Jacques, si je trouvais un bon sergent, je te ferais pendre.

LE BERGER

Bée!

PATHELIN

Heu! Bée! Que l'on me pende si je ne fais venir un bon sergent! Malheur à lui s'il ne t'emprisonne.

LE BERGER, *se sauvant à toutes jambes.*

S'il m'attrape, je lui pardonne!

1. Proverbe : Te moques-tu de moi? Sur l'expression *manger de l'oie*, cf. l'étude de M. Mario Roques dans *Romania* (LVII, 1931, pp. 548-560); **2.** Pour *Maugré* (malgré) *Dieu ;* **3.** Proverbe : les jeunes sont plus malins que les vieux; **4.** Voilà la morale de la pièce.

LA CONDAMNATION DE BANQUET

NOTICE

Cette moralité à 39 personnages allégoriques a été composée à la fin du XVe siècle ou dans les premières années du XVIe siècle par Nicolas de La Chesnaye, docteur en droit civil et canon. Ses principaux épisodes sont retracés dans de célèbres tapisseries qui se trouvent au musée de Nancy.

Édition : La Condamnation de Banquet a été éditée par Ed. Fournier, *Le Théâtre français avant la Renaissance*, Paris, Laplace, 1872, pp. 218-271.

ANALYSE

Le *Docteur prolocuteur*[1] vient d'abord faire l'éloge de la sobriété. Il cède la place à Dîner, Souper et Banquet, trois garnements, qui rappellent le souvenir des bons vivants du temps jadis. Ils rencontrent une demoiselle de joyeuse mine, Bonne-Compagnie, suivie de tous ses gens, trois femmes, Gourmandise, Friandise et Accoutumance, et trois hommes, Passetemps, Je-bois-à-vous et Je-pleige-d'autant[2]. Les trois premiers personnages invitent Bonne-Compagnie et sa suite à venir manger chez chacun d'eux. Pendant que Dîner offre le premier repas, Souper et Banquet organisent contre leurs convives un guet-apens; ils embauchent à cet effet les Maladies, Apoplexie, Paralysie, Epilepsie, Pleurésie, Colique, Esquinancie[3], Hydropisie, Jaunisse, Gravelle et Goutte. Pendant le second repas qui se donne chez Souper, les Maladies, « figures hideuses et monstrueuses, armées et habillées si étrangement qu'à peine peut-on discerner si ce sont hommes ou femmes », se précipitent sur les convives et les rouent de coups. Bonne-Compagnie et sa suite se lamentent sur leur sort.

1. Chargé de prononcer le discours, orateur; **2.** Je me porte caution d'autant, je vous tiens tête en buvant, j'accepte tous les toasts, toutes les santés; **3.** Phlegmon des amygdales.

TRADUCTION

BONNE COMPAGNIE

Mais pourquoi cette félonie de nous traiter si rudement?

GOURMANDISE

Hélas! On m'a fait grande vilenie : je saigne très piteusement.

JE-BOIS-A-VOUS

J'ai souffert un terrible tourment.

JE-PLEIGE-D'AUTANT

J'ai tous les membres endoloris.

FRIANDISE

Je boite merveilleusement.

ACCOUTUMANCE

J'ai souffert un terrible tourment.

BONNE COMPAGNIE

Ce Souper est un garnement : c'est lui qui nous a fait maltraiter.

GOURMANDISE

J'ai souffert un terrible tourment.

ACCOUTUMANCE

J'ai tous les membres endoloris.

BONNE COMPAGNIE, *montrant son sang.*

Regardez, s'il vous plaît : ce Souper m'a blessée ici.

FRIANDISE

Une vieille aux yeux hagards m'a fait une plaie à la tête.

JE-PLEIGE-D'AUTANT

Et une autre n'a pas fait semblant de me frapper sur la cervelle.

ACCOUTUMANCE

On nous a dressé cette embuscade.

JE-BOIS-A-VOUS

C'est une piteuse aventure pour nous.

PASSETEMPS

Je n'ai jamais senti une pareille douleur. J'en ai les membres tout abîmés.

GOURMANDISE

Hélas! moi, je ressens une douleur mortelle.

JE-BOIS-A-VOUS

Où, ma mie?

GOURMANDISE

Aux côtés.

BONNE COMPAGNIE

Qui sont ces nez égratignés et ces visages de chouettes qui nous ont si bien battus? Ne sont-ce pas des monstres marins? Ce sont, je crois, des Tartares, des Goths ou des magots[1] sortis de l'abîme, des babouins, des buffles de Barbarie, venus des Palus[2] perdus dans les brumes.

PASSETEMPS

Nous avons été joyeux, nous avons pris de délicieux repas, sans arrêter ni jour ni nuit : mais à la fin...

BONNE COMPAGNIE

Long souper nuit.

JE-BOIS-A-VOUS

Nous avons déjeuné le matin, en suite de quoi nous avons très bien dîné, dansé, sauté et fait du bruit : mais à la fin...

JE-PLEIGE-D'AUTANT

Long souper nuit.

FRIANDISE

Chez l'hôte qui est détestable, nous sommes restés longtemps à table en mangeant viande, tartes et fruits : mais à la fin...

ACCOUTUMANCE

Long souper nuit.

GOURMANDISE

On peut bien dîner à son gré.

JE-PLEIGE-D'AUTANT

On peut bien boire à suffisance.

1. *Magots, babouins :* singes ou figures grotesques; 2. Marais.

PASSETEMPS

On peut bien prendre son plaisir.

ACCOUTUMANCE

Mais à la fin...

BONNE COMPAGNIE

Long souper nuit. Or çà, il n'en faut plus parler : nous avons eu des maux en foule. Il nous faut aller en quelque lieu pour recouvrer notre santé.

(Ils se retirent comme pour aller se soigner.)

L'ÉCUYER

Qu'est ceci ? Ho!

LE PREMIER SERVITEUR

Tout est abîmé.

LE SECOND SERVITEUR

Je n'y reconnais ni pot ni verre.

L'ÉCUYER

Tout ce que nous avions apporté ici a été renversé.

LE PREMIER SERVITEUR

Tout est par terre.

LE SECOND SERVITEUR

N'est-ce point par un coup de tonnerre?

LE CUISINIER

N'est-ce point par un coup de tempête?

SOUPER

Relevez tout et qu'on mette chaque chose en place.

L'ÉCUYER

Ah! C'est vous qui avez fait cette fête? Quel maître Antitus[1]!

LE PREMIER SERVITEUR

Quel prophète!

SOUPER

J'ai joué un tour de bon hôte.

1. Nom proverbial; Rabelais a mis cet *Antitus* dans sa liste des cuisiniers célèbres (liv. IV, ch. XI); c'était une belle fourchette, une sorte de Lucullus du moyen âge.

LE CUISINIER

Vous êtes une méchante bête.

SOUPER

Ils ont reçu ce premier avertissement. Allons! allons! mes braves, il faut enlever ce mobilier et cette vaisselle. Qu'on s'y mette!

L'ÉCUYER

Je vous en défie; s'il y a encore quelque chose, cherchez-le.

LE PREMIER SERVITEUR

Ce n'est pas dans nos conditions.

LE SECOND SERVITEUR

Cela, c'est l'affaire de Marquet[1].

LE CUISINIER

Adieu à ce gueux plein de fourberie! Nous allons dresser le banquet.

SOUPER

Je n'ai pas dans ceci un bien grand profit, car j'y perds vin, pain et fromage. On peut bien me nommer maître Jacques[2]; j'ai fait le fou à mon détriment.

L'ÉCUYER

Banquet, gracieux personnage, nous voici déjà tout à votre service; nous venons chez vous pour faire ce que nous avons promis.

BANQUET

Soyez les bienvenus, mes amis! Ces gens sont-ils levés de table?

LE CUISINIER

Ils ont trouvé des ennemis qui leur ont rendu la situation intenable.

BANQUET

Souper est assez perfide; toutefois ne sonnez mot, car je leur ferai encore cent mille fois plus de tort. Parlons de fèves et de pois, ou de ce qui m'est nécessaire. *(Il montre ses provisions.)* N'ai-je pas des munitions de poids pour achever ma comédie?

1. Expression proverbiale : cela ne nous regarde pas; 2. Sot, benêt.

LE CUISINIER

Je prise fort votre maison. Vous avez travaillé en maître. Voici tous vos plats deux par deux : il n'y a plus qu'à les mettre sur la table.

BANQUET

Écuyer, et vous, Taillevent[1], je veux vous confier ce soin.

L'ÉCUYER

Je veux bien m'en occuper.

LE CUISINIER

Et moi je m'en mêle souvent.

BANQUET

La table est mise avec élégance : nappes, napperons et serviettes. Le pain y est aussi, tout entier, sans nulles miettes. Faites si bien les préparatifs, arrangez si bien vos plats, qu'ils trouvent la nourriture prête et qu'il n'y ait plus qu'à découper.

L'ÉCUYER

Il nous faut donc dresser ces plats ?

LE CUISINIER

Nous assignerons à chacun sa place.
(Tous les plats seront serrés sur une petite table ; ils les nomment l'un après l'autre pour les placer et les serviteurs les présentent à mesure qu'on les nomme.)

L'ÉCUYER

Apportez-les vite et avec aisance, dans l'ordre où nous les nommerons : la belle hure de sanglier sera au milieu de la table.

LE CUISINIER

Et le faisan, bien paré, sera posé auprès d'elle.

LE SECOND SERVITEUR, *portant deux plats.*

Est-ce ceci ?

L'ÉCUYER

Bonhomme, voilà. N'apportez que ce qu'on vous nomme.

1. *Taillevent* était *maître queux*, cuisinier du roi Charles VII ; il avait composé un traité intitulé *Taillevent* ou *le Viandier* et son nom était devenu proverbial au point de servir à désigner n'importe quel cuisinier.

LE CUISINIER

J'ai oublié la vinaigrette : apportez-la bien vite.

L'ÉCUYER

Et ne laissez pas la salade, car c'est l'appétit des malades.

LE CUISINIER

Oui, mais j'aurais dû appeler avant le bouilli lardé.

L'ÉCUYER

Tout le dîner ne vaut pas trois mailles[1], s'il n'y a des cailles et des pigeons.

LE CUISINIER

J'ai encore quelque chose à appeler. Savez-vous quoi? Une fine gelée[2].

L'ÉCUYER

Et comme nourriture de gourmet, la trimollette[3] de perdrix.

LE CUISINIER

Après tous ces amuse-bouche, il faut des merles et des tourterelles.

L'ÉCUYER

Et pour aiguiser l'appétit, de belles oranges, largement.

LE CUISINIER

Après la viande, selon nos coutumes, il faut des tartes à deux visages[4].

L'ÉCUYER

Je veux qu'on leur serve aussi la belle tarte jacopine[5].

LE CUISINIER

Comme entremets, il faut une crème frite.

L'ÉCUYER

Apportez aussi, pour la fin, un beau dauphin[6] de crème pure.

1. Tout le dîner ne vaut pas cher; *maille :* monnaie de cuivre de très petite valeur; **2.** Une gelée de poisson, sans doute; **3.** *Trimollette :* Sorte de salmis; **4.** Tartes au fromage, au jaune d'œuf et au sucre; **5.** Tartes aux oranges, au fromage, à la crème, au jaune d'œuf, aux anguilles et au sucre. Le livre de Taillevent donne la recette de ces plats plutôt compliqués; **6.** Sans doute ainsi nommé en raison de la forme de la pâtisserie : « Daulphins, fleurs de lis, estoylles de cresme frit... », écrit Taillevent.

LE CUISINIER

Il est convenable de servir la jonchée[1] avec ces autres plats.

L'ÉCUYER

Comme fruits nouveaux, présentez-moi des pommes, des poires et des prunes.

LE CUISINIER

Il reste après toutes ces bagatelles les avelines[2], les cerneaux[3] et les noisettes.

LE PREMIER SERVITEUR

C'est tout.

LE CUISINIER

Eh bien! voici les places où l'on mettra les tasses et les gobelets.

BANQUET

Tout y est, le maigre et le gras?

L'ÉCUYER

Il y a beaucoup de choses inutiles; mais je réserve ce coin, car pour accompagner l'hypocras[4], on y placera les biscuits.

BANQUET

Je vais chercher mes hôtes pour les avertir et les presser. En route, serviteurs; il faut allumer vos deux torches.

LE PREMIER SERVITEUR

Pour cela je ne me fais pas prier : je suis content d'y aller.

(Ils s'avancent avec deux torches.)

LE SECOND SERVITEUR

Je mets le feu à ma torche et je vais vous suivre sans vous faire attendre.

BANQUET

Dieu garde la dame belle et gracieuse et toute la chère compagnie! Je vous prie, pressez-vous de venir faire bonne chère.

BONNE COMPAGNIE

Ah! Banquet, cela demande réflexion : car Souper avec

1. *Jonchée :* fromage de crème ou de lait caillé, fabriqué dans un panier de jonc; 2. *Avelines :* grosses noisettes; 3. *Cerneau :* moitié d'une noix tirée de la coque avant la maturité; 4. Vin sucré et épicé, très apprécié au moyen âge.

sa bande nous a chassés de sa tanière en nous frappant d'étrange sorte.

GOURMANDISE

Sur ma foi, j'en suis presque morte.

BANQUET

C'est que vous êtes allée trop loin.

FRIANDISE

Il m'a fallu gagner la porte.

JE-BOIS-A-VOUS

Et moi après.

PASSETEMPS

Et moi devant.

BANQUET

Souper est homme à vous tromper, quand on reste avec lui longuement. Mais moi je sais comme il faut faire. Venez-vous-en.

BONNE COMPAGNIE

Cela ne dépend pas de moi, puisque c'est conclu et décidé.

BANQUET

Ma maison, telle qu'elle est, est toute à vous.

BONNE COMPAGNIE

Mille mercis.

BANQUET

Regardez : les mets sont sur la table. Prenez place de ce côté. Asseyez-vous aussi, tous les six, chacun selon son rang.

BONNE COMPAGNIE

Il y a grande quantité de bonnes choses. *(Ils s'assoient.)*

JE-PLEIGE-D'AUTANT

Voici un repas plantureux.

BANQUET

Prenez-en votre plaisir.

PASSETEMPS

En vérité, il y a grande quantité de bonnes choses.

GOURMANDISE

Si j'ai reçu une grêle de coups sur le dos, je veux m'en venger en bâfrant.

ACCOUTUMANCE

Il y a grande quantité de bonnes choses.

JE-BOIS-À-VOUS

Voici un repas plantureux.

PASSETEMPS

Je ne sais par où attaquer, tant il y en a.

FRIANDISE

Moi non plus.

BANQUET

Vous pouvez prendre sans crainte ici ou là.

FRIANDISE

C'est ce que je fais.

BONNE COMPAGNIE

Vous viendrez vous asseoir ici, notre hôte, du moins si vous voulez m'en croire.

BANQUET

Grand merci, dame. Je m'occuperai de servir à boire.

JE-PLEIGE-D'AUTANT

Mon amour, voulez-vous cette poire?

GOURMANDISE

Voilà bien parlé à Martin[1]! Mais à quoi pensez-vous de servir des fruits si matin?

BANQUET

Allons, compagnons, versez du vin, et prenez garde que la boisson ne manque pas.

. . . .

BANQUET, *parlant aux maladies.*

Tigresses, furies furieuses, larves[2] aux regards méchants, armez-vous d'armures polies, prenez vos flèches et vos dards, car je vous dis que ces nigauds, qui ne pensent qu'à s'emplir le ventre, boivent mon vin en vrais soudards, sans qu'on puisse les assouvir.

APOPLEXIE

Il faut revêtir incontinent nos jaques[3] et nos jaserans[4].

1. Allusion à un proverbe cité dans les *Curiosités françaises* d'Oudin : « Il ressemble le prestre Martin, il chante et respond tout ensemble »; **2.** *Larves :* spectres; **3.** *Jaque :* casaque en cuir de cerf; **4.** *Jaserans :* cotte de mailles d'acier.

HYDROPISIE

Pour aller les chasser il faut nous vêtir incontinent.

ÉPILEPSIE

Je leur ferai sentir mon bâton, s'ils ne trouvent de bons défenseurs.

PLEURÉSIE

Il faut revêtir incontinent nos jaques et nos jaserans.

ESQUINANCIE

Jamais les chevaliers errants qui servirent le roi Arthur[1] ne furent si grands conquérants ni si pleins de bonnes vertus.

PARALYSIE

Vos hôtes seront combattus, car j'y éprouverai ma force.

COLIQUE

Ils seront tous abattus morts, Banquet, car je serai là.

GOUTTE

Je frapperai de ma poitrine et leur donnerai des rhumatismes.

JAUNISSE

Je les ferai changer de couleur, par mon venin qui perce et pique.

GRAVELLE

Je les agripperai par les reins, s'il faut que je m'y mette.

APOPLEXIE

Je les prendrai au cerveau et les ferai tomber sur la place publique.

HYDROPISIE

Je frapperai à l'estomac et rendrai mon homme hydropique.

ÉPILEPSIE

Je le prendrai par la tête et le ferai épileptique.

PLEURÉSIE

Je lui poindrai[2] les côtés, afin qu'il meure pleurétique.

ESQUINANCIE

Je m'attacherai à la gorge pour fermer le passage.

1. Les célèbres chevaliers de la *Table Ronde ;* 2. *Poindre :* piquer.

PARALYSIE

Je lui sécherai si bien les nerfs qu'il sera bientôt paralytique.

COLIQUE

Je me cacherai dans le ventre pour bouter[1] la colique dans le gros intestin.

BANQUET

Il n'y a si bon catholique ni clerc si rempli de science que vous ne rendiez mélancolique, quand vous voulez.

. . . .

BONNE COMPAGNIE, *tenant une tasse.*

Ce vin n'est-il pas bon?

JE-BOIS-À-VOUS

Très, très! et il a joyeuse couleur.

PASSETEMPS

C'est tout récemment, je crois, qu'il a été mis en perce.

JE-VOUS-FAIS-RAISON

Il y a longtemps que je n'en ai bu de meilleur. Vous pensez si, pour le docteur, je me mettrai à boire moins! Je serai toujours bon buveur et je remplirai bien mon ventre.

BANQUET, *parlant de loin.*

Et pendant ce temps-là je ferai ma besogne.

GOURMANDISE

Quoi qu'il dise et qu'il prêche, je ne m'arrêterai pas de mâcher et j'entonnerai ce bon vin.

BANQUET

Et pendant ce temps-là je ferai ma besogne.

JE-BOIS-À-VOTRE-SANTÉ

Allons! Allons! il faut se raccoupler[2]!

BANQUET

Et moi, il me faut appeler mes gens.

JE-BOIS-À-VOTRE-SANTÉ

Je ne veux penser qu'à bien en profiter.

1. *Bouter* : mettre; 2. Il faut recommencer à trinquer.

BANQUET

Et pendant ce temps je ferai ma besogne...

BONNE COMPAGNIE

Écuyer!

L'ÉCUYER

Dame?

BONNE COMPAGNIE

L'hypocras?

L'ÉCUYER

On n'y a pas encore touché.

PASSETEMPS

Voulez-vous le garder *pro cras*[1]?

L'ÉCUYER

J'en servirai très volontiers.

LE PREMIER SERVITEUR

Voici des biscuits légers pour agrémenter la soupe.

LE SECOND SERVITEUR

Je verserai, si vous voulez, dans cette tasse polie.

BANQUET, *armé de la tête aux pieds, vient crier*

Apoplexie! Hydropisie!

APOPLEXIE

Qui est là?

HYDROPISIE

C'est Banquet.

BANQUET

Où êtes-vous, Épilepsie?

ÉPILEPSIE

Me voici prête, avec mon petit manteau.

BANQUET

N'oubliez robe ni capuchon et amenez votre troupe.
J'ai déjà pris ma casaque, pour entrer en pleine mêlée.

PLEURÉSIE

La compagnie est affolée, si je les prends à bras le corps.

1. Pour demain.

BANQUET

Allons frapper à la volée, sans leur faire miséricorde. A mort!

BONNE COMPAGNIE

Qui vive?

(Notez que les banqueteurs doivent se montrer bien piteux, et les autres bien terribles.)

ESQUINANCIE

Les plus forts!

PASSETEMPS

C'est une seconde trahison!

GOURMANDISE

Plût à Dieu que je fusse dehors!

PARALYSIE

A mort!

JE-BOIS-À-VOTRE-SANTÉ

Qui vive?

COLIQUE

Les plus forts!

JE-VOUS-FAIS-RAISON

Aurons-nous souvent de tels assauts?

APOPLEXIE

Il faut que cet ivrogne réponde. A mort!

PASSETEMPS

Qui vive?

HYDROPISIE

Les plus forts!

BONNE COMPAGNIE

C'est une seconde trahison!

BANQUET

Qu'on tue tout!

ÉPILEPSIE

Qu'on les écorche!

BONNE COMPAGNIE, *s'échappant.*

Sauve qui peut!

SUITE DE L'ANALYSE

Bonne-Compagnie, Accoutumance et Passetemps échappent seuls au massacre. Ils vont se plaindre à Expérience, qui cite à son tribunal les deux coupables, Souper et Banquet. Hippocrate, Galien, Avicenne et Averroès lui servent de conseillers; Clystère, Saignée, Pilule, Diète, Sobriété font office de sergents. Souper qui n'a fait que battre ses convives ne reçoit qu'un avertissement, mais Banquet est condamné à mort comme meurtrier. Voici d'ailleurs le texte du jugement, lu par Remède, le greffier :

Veu[1] le procès de l'accusacion,
Fait de pieça[2] par Bonne-Compaignie,
Qu'on peut nommer populaire action[3],
Car elle touche au peuple et ma mesgnie[4] :
Veu l'homicide accomply par envie
Es[5] personnes, premier[6] de Gourmandise,
Et d'autres trois qui ont perdu la vie :
Je-bois-à-vous, Je-pleige et Friandise;

Consequemment, confession ouye[7]
Que a fait Bancquet, sans quelconque torture[8],
D'avoir occis, après chiere esjouye[9],
Les quatre mors qui sont en pourriture,
Et de Souper confessant la bature[10],
Qu'il perpetra sans en rien differer;
Veu à loisir toute autre conjecture
Qui fait à veoir et à considerer,

En le conseil des sages et lectrez[11],
Qui en ont dit[12] par grant discretion[13],
Voulons pugnir les delictz perpetrez,
Pour incuter[14] crainte et correction.
Car, au propos, pour exhortation,
Le Code dit, aussi fait l'Institute[15],
Que d'ung forfait la vindication[16]
Sur les mauvais redonde[17] et repercute.

1. Vu; 2. *De pieça :* depuis longtemps; 3. *Action* au sens de poursuite en justice; 4. *Mesgnie (mesnie, maisnie) :* famille, compagnie; 5. *Es*, contraction de *en les :* sur les personnes; 6. *Premier :* d'abord; 7. Entendue; 8. Sans avoir subi la question; 9. Après avoir fait joyeuse chère; 10. *Bature :* action de frapper; 11. Lettrés, gens instruits; 12. Parlé; 13. Discernement; 14. Imprimer, imposer; 15. Recueil juridique rédigé par ordre de Justinien, en 533; 16. Vengeance; 17. Rebondit.

Et, au surplus, ouy les medicins,
Tous opinans que le long Soupper nuyst,
Et que Bancquet, remply de larrecins[1],
Fait mourir gens, et se commect de nuyt :
Item aussi, par le procès conduit,
Discretement[2] pesé et compensé[3],
Trouvons qu'il a l'homicide introduit[4]
Par dol, par fraulde et par guet apensé[5].

Pourtant disons, tout par diffinitive[6],
A juste droit, sans reprehension[7],
Que le Bancquet par sa faute excessive,
En commectant cruelle occision[8],
Sera pendu à grant confusion,
Et estranglé pour pugnir le malice[9];
Voz gens feront ceste execution
Et le mectront à l'extresme supplice.

Quant à Souper, qui n'est pas si coupable,
Nous luy ferons[10] plus gracieusement.
Pour ce qu'il sert de trop de metz sur table,
Il le convient restraindre aucunement[11] :
Poignetz de plomb pesans bien largement
Au long du bras aura sur son pourpoint[12],
Et du Disner prins ordinairement,
De six lieues[13] il n'approchera point.

Et s'il ne veult obeyr à cecy,
Mais decliner[14], contrefaisant du lourt[15],
Pour le reffus, nous ordonnons ainsi
Qu'il soit pendu au gibet hault et court.

1. Larcins; **2.** Avec discernement; **3.** Établi à la suite d'un accord; **4.** Commis; **5.** Par guet-apens; **6.** Par sentence définitive; **7.** Sans risque de reproche; **8.** Meurtre, massacre; **9.** *Malice* était masculin dans l'ancienne langue : méchanceté; **10.** Nous agirons à son égard; **11.** En quelque façon; **12.** Pour ne plus verser à boire d'une main trop légère; **13.** Compte pour deux syllabes; il faut comprendre : *de six heures ;* **14.** Faire appel; **15.** Faisant semblant d'être stupide, de ne pas comprendre la sentence.

JUGEMENTS
SUR « LE JEU DE LA FEUILLÉE »

D'un bout à l'autre, la pièce est une satire, qui crible de ses traits non seulement les personnages en scène, mais encore tous ceux que la conversation amène sur le tapis : des personnages bien vivants, pris dans la société d'Arras, des bourgeois connus et leurs femmes. Si vite que vieillissent les productions de ce genre, faites d'*actualités*, cette sorte de *revue* conserve encore à nos yeux sa fraîcheur. Nous avons sur la vie d'Arras à cette époque, sur les choses et sur les gens, une information suffisante pour apprécier la fantaisie sémillante et la verve spirituelle de l'œuvre. Cependant il est assez difficile de comprendre l'état d'esprit d'où elle procède. Les manuscrits l'attribuent à Adam le Bossu (Adam de La Halle), qui pourtant y fait figure de mari peu courtois et de fils peu respectueux; on y voit aussi cinglé durement un certain Jacquemon Pouchin, qui paraît avoir été un des meilleurs amis d'Adam. On s'étonne de l'attitude prise ainsi par le poète : c'est pourquoi on a pu supposer que la pièce avait été écrite non par Adam, mais par quelqu'un de ses ennemis. La supposition est fragile : elle a contre elle le style du poème, qui est bien celui des autres œuvres d'Adam, et aussi l'attribution des manuscrits, qu'on ne saurait écarter sans des raisons décisives. Il faut laisser *le Jeu de la Feuillée* à Adam le Bossu et s'accommoder comme on peut de l'étonnement que cause, par certains côtés, cette œuvre qui pousse l'originalité jusqu'à la bizarrerie.

E. Faral,
Histoire de la littérature française illustrée,
publiée sous la direction de J. Bédier et de P. Hazard (p. 63).

Telle est donc cette gracieuse pièce, qui est, dans notre littérature médiévale, un cas presque unique, mais qui ne l'est point dans la littérature universelle. Ce mélange de satire politique, de lyrisme, de rêve et de fantaisie, n'est-il pas celui que présente aussi, dans un ambigu si savoureux, la comédie ancienne de l'Attique, nommément chez Aristophane, dont la liberté satirique rappelle encore celle des orgiastes de la procession dionysiaque et d'où la poésie non plus n'est jamais absente ? Plus près de nous on pense à Shakespeare et on pense à Musset, mais le rapprochement avec Aristophane reste cependant le plus juste. Toutefois, à quoi bon écraser maître Adam sous ces comparaisons un peu lourdes pour lui et ne pas se borner à souligner la nouveauté du fait littéraire que représente *le Jeu de la Feuillée :* l'apparition au théâtre de la satire politique personnelle, la haute et la moyenne bourgeoisie d'Arras y étant blasonnées à découvert, sans que les noms y soient même altérés, ce qui a évoqué l'idée de notre revue de fin d'année ? Cette satire, maître Adam, peut-être pour la faire accepter, en tourne aussi la pointe contre lui-même et contre ses proches, sa femme, tendrement aimée, un père avare, et des amis qu'il lui coûte de quitter. En ceci, cette satire bourgeoise et politique est en même temps lyrique... Elle l'est encore sur deux autres points, en ce qu'elle s'enveloppe de poésie et de légende, par l'apparition, en cette soirée de la Saint-Jean, des trois fées, sorties de la mythologie celtique : Arsile, Maglore et Morgue, la fée Morgue, la *fata Morgana*, sœur du roi Arthur, ainsi que du messager d'Hellequin, le dieu des tempêtes et des orages, meneur, dans les ciels brouillés du Nord, de la chasse sauvage, la *Wilde Jagd* des Germains... Enfin, il (Adam) fut lyrique encore (au sens étymologique du mot, car la lyre fait le poète), en ce que, bon musicien, il inséra dans son texte plusieurs chansons.

Surtout il fut ici homme de théâtre, car il ne se peut point qu'il n'ait appliqué à sa pièce les procédés scéniques du *Mystère de saint Nicolas* de son compatriote Jean Bodel ou du *Drame de la Résurrection*, qu'il n'ait juxtaposé sur la scène plusieurs décors, la Loge de feuillage, où est dressée la table des fées, et la taverne, qu'il n'ait même devancé les pièces à machine par l'apparition, la toile du fond étant *coulissée*, du plaisant tableau de la Roue de Fortune (peut-être les Fées mêmes et Croquesot descendaient-ils sur la scène par une *volerie*), et qu'il n'ait joué, en diminuant ou multipliant les chandelles, d'effets de mystère et d'éclat dans la succession de la nuit au jour et du jour à la nuit.

G. Cohen,
le Théâtre en France au moyen âge (t. II),
le Théâtre profane (p. 31-33).

Ce n'est certes pas un chef-d'œuvre que *le Jeu de la Feuillée*. Il serait puéril et vain d'y chercher une conception puissante, un déploiement réfléchi de tous les ressorts dramatiques, un équilibre savamment réalisé. C'est surtout un divertissement et, comme on l'a dit, le « Songe d'une nuit de mai ». La satire et la farce, le réalisme et l'imagination y font d'autant meilleur ménage qu'ils expriment la dualité de l'âme artésienne à la fois terre-à-terre et poétique. Les scènes se suivent au petit bonheur sans lien logique et bien souvent elles s'achèvent avant qu'on ait pu saisir leur raison d'être. Le style lui-même, sans éclat, n'anime guère ces courtes répliques, qui toutes, il s'en faut, ne déchaînent pas le rire.

R. Bossuat,
Histoire de la littérature française,
publiée sous la direction de J. Calvet, I, *le Moyen Age* (p. 223).

SUR « LA FARCE DE MAISTRE PIERRE PATHELIN »

Mais sur tous me plaît celui qui composa *la Farce de Maistre Pierre Pathelin*, duquel encore que je ne sache le nom, si puis-je dire que cette farce, tant en son tout que parcelles, fait contrecarre aux comédies des Grecs et des Romains.

Étienne Pasquier,
dans ses *Recherches de la France* (vers 1560).

La langue est savoureuse et drue, le vers aisé et spirituel, la repartie vive, les caractères finement observés, les deux intrigues mêlées et dénouées avec un art très sûr. Par toutes ces qualités, *Pathelin* est infiniment supérieur à toutes les farces du XVe et du XVIe siècle. Est-ce même une farce? Il est vrai que les fripons y tiennent toute la place et qu'il s'agit seulement de savoir quel est celui qui rira le dernier; seul le juge représente les honnêtes gens, et c'est un personnage falot que tout le monde berne et qui invite à souper un avocat véreux. On n'a pas l'impression que l'auteur fasse tout bas des réserves. C'est bien le point de vue des Enfants sans souci. Mais ce qui semble assez naturel chez un farceur irresponsable des Halles surprend dans une œuvre aussi achevée. On se demande s'il n'y a pas ici un procédé voulu. Il faudrait savoir qui a composé la pièce et pour quelle occasion elle a été écrite. Nous ne tenons pas encore le secret de *Pathelin*. Ce que nous savons tout au moins, c'est que, farce ou comédie, il n'y a rien eu de pareil au théâtre avant Molière.

L. Foulet,
dans l'*Histoire de la littérature française illustrée*,
publiée sous la direction de J. Bédier et P. Hazard (t. I, p. 106).

Cette joyeuse comédie de mœurs et de caractères, la première comédie française, jouit d'une juste et longue fortune... Ce succès, toujours retrouvé, de notre première comédie française se justifie avant tout par des qualités scéniques. A des acteurs de talent ou même à des amateurs un peu doués, elle offre une succession indéfinie et naturelle de situations et de mimiques propres à déclencher, chez des spectateurs de toutes classes, un rire inextinguible... Ajoutez à cela les jeux de scène qui découlent si naturellement aussi de la situation et que le grand comique inconnu excelle à suggérer sans même avoir besoin d'user de l'artifice des rubriques : Pathelin évaluant sa taille et celle de son épouse, puis aunant le drap avec sa dupe; Guillemette recommandant à Me Guillaume de parler bas et criant plus fort que lui, le rire inextinguible de la rusée après son départ, rire qu'à son retour elle mêle de feintes larmes, les angoisses du faux malade, l'embarras du drapier forcé de plaider pour lui-même; l'ahurissement du juge, la stupidité forcée du berger, le geste de l'avocat qui cache son visage sous prétexte de mal aux dents; autant d'effets sûrs faciles à réaliser, difficiles à inventer pour qui ne possède pas le don si rare de la *vis comica*, de la force comique, que seuls Molière, et plus près de nous, Courteline, ont eue à un plus haut degré.

... Tout cela est encore de l'extérieur; mais l'intérieur est bien plus riche. L'unité spirituelle de la pièce, très frappante, réside dans la fourberie des personnages, fourberie si complète, si totale que, si elle ne nous faisait tant rire, elle nous ferait pleurer de l'universelle fourbe qui règne sur le monde. Mais comme Corneille bâtissait une tragédie *(Horace)* sur un sentiment unique (le patriotisme) en le différenciant en chacun de ses personnages, celui-ci promène la ruse (heureusement en l'incarnant et non en la personnifiant comme dans les moralités) à travers les milieux les plus divers : à la foire des marchands, au forum des avocats, à la prairie des bergers. Il nous empêche de nous apitoyer sur la victime (ce que n'évita pas toujours son glorieux successeur Molière), parce qu'elle est elle-même un trompeur, que ce soit Me Guillaume qui croit vendre vingt-quatre sous l'aune le drap qui n'en vaut pas vingt, ou l'avocat payé de son *bée* qu'il a inventé et dont le trait empoisonné se retourne contre lui-même.

Il y a aussi gradation et nuance dans toutes ces incarnations de la ruse : Me Guillaume est la ruse-bêtise, épaisse et stupide, Thibault l'Aignelet, la ruse finaude, dont la sottise n'est qu'apparente, Guillemette la ruse naïve à fleur de peau, qui s'essaie dans l'imitation des autres et ne réussit qu'à moitié, la franchise la faisant éclater au beau milieu de la singerie, Me Pathelin enfin, la ruse raffinée, appuyée sur l'esprit et sur la connaissance, triomphante, jusqu'au moment où elle se butera à l'obstacle qu'elle a par imprudence fait elle-même surgir. Quant au juge, il n'est qu'un comparse, mais qui est vivant aussi, car il représente le magistrat plus pressé d'aller à ses plaisirs et à ses affaires que de chercher la vérité et de rendre bonne et claire justice.

En lui s'achève la satire gaie, mais profonde tout de même, qui se dégage de cette comédie : satire de la Marchandise et satire de la Justice, en ses magistrats et surtout en ses avocats véreux, guettant le client *dessous l'orme*, cloués parfois au pilori du marché du samedi, amis recommençant le dimanche, toujours prêts, moyennant finance, à blanchir ce qui est noir et à noircir ce qui est blanc. Le jeu n'est pas seulement d'intérêt, il leur plaît pour le jeu même, l'assouplissement et l'exercice de leur *renardie*.

Tout cela ne serait rien encore, si, chez notre auteur, le don du style ne s'appariait à la puissance créatrice, style qui, quoique nourri de connaissances des vieux auteurs (à l'exclusion cependant de ceux de l'antiquité, de Plaute et de Térence notamment), est le naturel même, à une époque où, Villon mis à part, la langue des *fatistes*, *facteurs* et *rhétoriqueurs* est si tourmentée.

... On comprend que le grand réaliste du siècle suivant, le joyeux et profond auteur de *Gargantua* et de *Pantagruel*, se soit inspiré et comme imprégné de ce *patelinage* et que son Panurge, maître ès ruses aussi, pratiquant comme lui diverses langues à étourdir les badauds, soit le descendant authentique de Pathelin et le prédécesseur de Figaro.

Gustave Cohen,
le Théâtre en France au moyen âge (t. II).
le Théâtre profane (p. 92-98).

SUR LA « CONDAMNATION DE BANQUET »

Cette moralité est très curieuse pour l'histoire des mœurs du temps aussi bien que pour l'histoire du théâtre; on y voit indiqués une foule de détails sur les jeux de scène, les costumes et les caractères des personnages. Elle est écrite souvent avec vivacité, et l'on y remarque des vers qui étaient devenus proverbes Les défauts du style, souvent verbeux, obscur et lourd, sont ceux que l'on reproche également aux contemporains de Nicole de La Chesnaye. Quant à la pièce elle-même, elle ne manque pas d'originalité et elle offre une action plus dramatique, plus pittoresque, plus variée que la plupart des moralités contemporaines; c'est bien une moralité, mais on y trouve au moins le mot pour rire...

P.-J. Jacob,
Recueil de Farces, Soties et Moralités du XVe siècle (p. 272).

Les moralités font preuve de plus de bonnes intentions que de talent.

L. Foulet,
op. cit. (p. 107).

Ce mot (les Moralités) désignait, à la vérité, un genre assez mal défini, car si les auteurs semblent tous animés du désir d'instruire et d'édifier, il s'en faut qu'ils aient tous suivi la même voie pour atteindre ce but commun. Tantôt voisines des *mystères* par la nature des sujets traités et la pieuse gravité de l'inspiration, tantôt côtoyant la farce par le comique des situations et la bouffonnerie du dialogue, les *moralités* procèdent également d'une intention édifiante et les personnages qu'elles mettent en scène sont communément des allégories... *La Condamnation de Banquet* de Nicolas de La Chesnaye renferme surtout des conseils d'hygiène et l'illustration de cette vérité banale qu'il faut manger pour vivre et non point vivre pour manger. La preuve nous en est fournie par les propos de Bonne-Compagnie, Gourmandise, Friandise et de ce cordial Je-bois-à-vous, à qui fait raison Je-pleige-d'autant. Les maladies leur succèdent, qui viennent, l'une après l'autre, débiter leur petit couplet.

R. Bossuat,
op. cit. (p. 350).

QUESTIONS

SUR « LE JEU DE LA FEUILLÉE »

L'esprit satirique dans *le Jeu de la Feuillée.*

— Le réalisme et la fantaisie dans *le Jeu de la Feuillée.*

— Les divers personnages du *Jeu de la Feuillée* sont-ils bien caractérisés ?

— Le portrait ou la caricature d'Adam de La Halle par lui-même dans *le Jeu de la Feuillée.*

— Que pensez-vous des personnages du Moine et du Fou dans *le Jeu de la Feuillée ?*

— Étudiez la composition du *Jeu de la Feuillée.*

— Étudiez la mise en scène et le décor dans *le Jeu de la Feuillée.*

— Que nous apprend *le Jeu de la Feuillée* sur la ville d'Arras et ses habitants au XIIIe siècle ?

— En quoi *le Jeu de la Feuillée* mérite-t-il d'être appelé une pièce lyrique ?

SUR « LA FARCE DE MAISTRE PIERRE PATHELIN »

— La peinture des caractères et des conditions sociales dans *la Farce de Pathelin ;* les ressemblances et les différences entre les divers personnages.

— Étudiez les procédés comiques mis en œuvre dans *la Farce de Pathelin ;* comment l'auteur a-t-il varié et renouvelé ses effets ?

— Étudiez l'intrigue de *la Farce de Pathelin.*

— La verve et la vérité du ton dans *la Farce de Pathelin.*

— La satire des gens de justice dans *la Farce de Pathelin.*

— En quoi *la Farce de Pathelin* est-elle aussi bien une comédie ?

— Le décor dans *la Farce de Pathelin.*

SUR « LA CONDAMNATION DE BANQUET »

— Nicolas de La Chesnaye a-t-il réussi à rendre plaisante la leçon morale qu'il illustre dans *la Condamnation de Banquet ?* Étudiez ses procédés comiques, de quelle qualité vous paraît son esprit ?

— Que nous apprend *la Condamnation de Banquet* sur la vie et les mœurs de l'époque ?

SUJETS DE DEVOIRS

Rikier Auri (Rikeche), ami d'Adam de La Halle et acteur du *Jeu de la Feuillée*, raconte à ses amis réunis avec lui à la taverne la représentation de la pièce.

— Dame Douce raconte à d'autres commères de la ville sa rencontre avec les fées.

— De Paris où il poursuit ses études, Adam de La Halle écrit à son père pour lui demander de l'argent.

— Adam de La Halle écrit de Paris à son ami Rikier Auri pour lui décrire sa vie d'étudiant et pour lui demander des nouvelles des amis laissés à Arras.

— Adam de La Halle annonce à son ami Rikier Auri son prochain retour dans sa ville natale.

— Rikier Auri déplore la mort prématurée d'Adam de La Halle.

— Panurge entreprend devant Pantagruel l'éloge de Pathelin.

— Après s'être tristement couché et avoir maudit bien des fois la fourberie de Pathelin, le drapier réussit à s'endormir : imaginez le cauchemar qui ne tarde pas à troubler son sommeil.

— Après avoir quitté le berger, Pathelin rentre tout penaud chez lui. Comment est-il accueilli par sa femme Guillemette ? Imaginez le dialogue entre les deux époux.

— Est-il possible de tirer une leçon morale de *la Farce de Pathelin ?*

TABLE DES MATIÈRES

Imp. Larousse, 1 à 9, rue d'Arcueil, Montrouge (Hauts-de-Seine).
Juin 1935. — Dépôt légal 1935-3e. — No 3833. — No de série Editeur 3961.
IMPRIMÉ EN FRANCE (*Printed in France*). — 38.525 T-12-67.